図解 即 戦力

オールカラーの豊富な図解と
丁寧な解説でわかりやすい!

マスコミ業界の

しくみとビジネスが
しっかりわかる
これ
1冊で
教科書

中野明
Akira Nakano

JN126716

技術評論社

ご注意：ご購入・ご利用の前に必ずお読みください

はじめに

　皆さんは「マスコミ」という言葉から何をイメージしますか。ある人は硬派な報道機関をイメージするかもしれません。また別の人は、タレントのスキャンダルを追いかける軟派なイメージを抱くかもしれません。

　いずれにせよ、このマスコミ（本書ではマスメディアという表現を一貫して用いますので以下こちらを利用します）が危機的状況にあります。それというのも新聞、雑誌、テレビ、ラジオという従来型マスメディアの代表が、こぞって業績不振に陥っているからです。マスメディアの根幹は報道ですから、経営の危機は報道の危機に直結します。

　従来型マスメディアが消滅しても、インターネットを介して情報を提供するネットメディアがあるから問題はない、という人もいるかもしれません。しかし、こと報道に関しては、現在のネットメディアは従来型メディアの取材力に頼っています。ネットメディア自体に取材力はほとんどありませんから、仮に従来型マスメディアの経営が成立しなくなると、日本の報道は機能不全に陥ってしまいます。

　本書はこのような過渡期を迎えているマスメディアの現状を平易な文章と豊富な図解で解説しました。

　第1章はマスメディアの全貌について概観しました。こちらで業界の全貌をまず把握してください。その上で各論にあたる第2章から第4章では、従来型マスメディアであるマスコミ四媒体について解説しています。さらに第6章では何かとわかりにくいネットメディアの世界に分け入ります。そして最終章では、過渡期にあるマスメディアの将来についてふれました。

　以上を通じて、日本のマスメディアの現況と今後が理解できるよう心がけたのが本書です。マスメディア業界への就職や理解に本書が少しでもお役に立てることを心より期待しております。

2023年7月　筆者記す

CONTENTS

はじめに ·· 3

Chapter 1
マスコミとは何か

01 用語の定義
「メディア」と「コミュニケーション」の関係 ················ 12

02 新聞・雑誌・ラジオ・テレビ
マスコミ四媒体とは何か ································· 14

03 従来型マスメディアとインターネット
インターネットが持つ3つの潜在能力 ··················· 16

04 拡大するインターネット広告費
目を見張るインターネット広告の進展 ·················· 18

05 マスメディア業界の全貌
マスメディア業界を俯瞰する ··························· 20

06 業界に向く人、向かない人
マスメディア業界から求められる「人財」·············· 22

COLUMN 1
知っておきたいマスメディア論① 強力効果論と限定効果論 ·············· 24

Chapter 2
放送

01 放送の定義
そもそも「放送」とは何か ······························ 26

02 放送の歴史
日本における放送の始まり ······························ 28

03 放送のビジネスモデル
放送業界はどんな構造になっているのか ················ 30

04 放送事業者の市場規模と収入
放送市場の構成比が変化してきている …………………………… 32

05 地上波テレビと広告
地上波テレビ広告費は1兆6,768億円に沈んだ ………………… 34

06 民間テレビ放送局のネットワーク
キー局を中心に全国各地にネットワークを結ぶ ……………… 36

07 民間テレビ放送局の構造
キー局・準キー局・中京局とは何か ……………………………… 38

08 キー局の経営状況
底堅い「日テレ」、苦戦の「フジ」…………………………………… 40

09 NHKの経営状況
日本の放送業界に君臨する「NHK」……………………………… 42

10 テレビ放送局の職種
テレビ放送局で働く人々の仕事内容は ………………………… 44

11 タイムCMとスポットCM
テレビ放送のCMにはどんな種類があるか …………………… 46

12 テレビ視聴者の特徴
テレビ視聴者の高齢化が進んでいる …………………………… 48

13 視聴方法の変化
視聴率に影響を及ぼすタイムシフト視聴 ……………………… 50

14 インターネットとテレビ業界
テレビ業界にDXの大波が押し寄せている ……………………… 52

15 ラジオ放送局の経営
2年連続のプラス成長となったラジオ広告市場 ……………… 54

16 ラジオ放送のネットワーク
4系列のラジオ放送ネットワーク ………………………………… 56

17 ラジオのDX
今後も期待が高まるradiko ……………………………………… 58

COLUMN 2

知っておきたいマスメディア論② 選択的接触 ………………… 60

Chapter 3

新聞

01 新聞の誕生
新聞は私信から生まれた ………………………………………… 62

02 新聞業界の流通構造
垂直統合型になっている新聞業界 ………………………………… 64

03 新聞の危機的状況
発行部数・売上がともに急降下している ……………………… 66

04 新聞広告費の推移
下落に歯止めがかからない新聞広告費 ………………………… 68

05 新聞の種類
新聞を種類別に見ると多様さがわかる ………………………… 70

06 組織と職種
新聞社には多彩な職種がある …………………………………… 72

07 従業員の特徴
新聞社で働く人は減少傾向にある ……………………………… 74

08 新聞講読者の実態
若年層の新聞離れが進んでいる ………………………………… 76

09 全国紙の販売部数
販売部数トップの「読売新聞」 ………………………………… 78

10 全国紙大手の経営状況
「朝日」「読売」「日経」の激しい売上争い …………………… 80

11 新聞社のDX
成功例といえる「日経電子版」の進展 ………………………… 82

12 ブロック紙・地方紙
配布エリアで影響力を持つブロック紙と地方紙 ……………… 84

13 新聞の音声サービス
ポッドキャストでニュースを聴く ……………………………… 86

14 Googleと新聞社
フェイクニュースとの闘い ……………………………………… 88

15 通信社とは何か
新聞社にニュースを配信する …………………………………… 90

COLUMN 3

知っておきたいマスメディア論③ ホテリングモデルと敵対的メディア認知 ‥ 92

Chapter 4

出版

01 歴史の中の出版
第3次情報革命が出版社を生んだ ………………………………… 94

02 出版業界の構造
水平分業が特徴の出版・雑誌業界 ………………………………… 96

03 出版市場
出版業界の市場規模推移 …………………………………………… 98

04 出版社の経営規模
小規模企業が圧倒的に多い出版業界 …………………………… 100

05 出版社の組織と人
水平分業型ビジネスモデルで仕事をこなす …………………… 102

06 出版大手3社の経営概要①
一ツ橋グループの「小学館」と「集英社」……………………… 104

07 出版大手3社の経営概要②
デジタル化を推進する「講談社」………………………………… 106

08 電子書籍市場
さらなる市場拡大が予想される電子書籍 ……………………… 108

09 雑誌市場
下げ止まらない雑誌市場規模 …………………………………… 110

10 雑誌広告
雑誌広告費は10年前の半分に減少 …………………………… 112

11 人気の雑誌タイトル
コアなターゲットにアピールする雑誌 ………………………… 114

12 マンガアプリ
デジタルマンガが進展している ………………………………… 116

13 雑誌のデジタル化
デジタル雑誌読み放題サービスの定着 ………………………… 118

14 書籍の万引き防止
出版物にRFIDを導入する ……………………………………… 120

COLUMN 4

知っておきたいマスメディア論④ 第三者効果 ………………… 122

Chapter 5

広告

01 マス媒体と広告
広告とマスコミュニケーションの深い関係 ……………………… 124

02 広告業界の構造
キープレーヤーとしての広告会社とその周辺に集う企業群 …… 126

03 市場規模推移
過去最高を記録した広告市場規模 ………………………………… 128

04 広告主の状況
マスコミ四媒体の３大クライアント …………………………… 130

05 多様な広告媒体
プロモーションメディア広告とは何か ………………………… 132

06 日本の広告会社ランキング
「電通」に「博報堂DYHD」「サイバーエージェント」が続く …… 134

07 日本の広告会社①
日本の広告業を牛耳る「電通」 ………………………………… 136

08 日本の広告会社②
世界8位につける「博報堂DYHD」 …………………………… 138

09 日本の広告会社③
頭角をあらわす「サイバーエージェント」 …………………… 140

10 世界の広告会社
コンサルティング系広告会社の躍進 …………………………… 142

11 組織から見た広告会社
広告会社の３つのセクション …………………………………… 144

12 広告会社の職務
広告会社で働く人々の仕事内容と求められる資質 …………… 146

13 広告会社の協力会社
広告業界には多様な広告関連会社がある ……………………… 148

14 広告会社の規模
規模の格差が大きい広告業界 …………………………………… 150

COLUMN 5

知っておきたいマスメディア論⑤ 新しい強力効果論と議題設定機能 ‥ 152

Chapter 6
ネットメディア

01 ネットメディアの種類
　　5分類で考えるネットメディア ―――――――――――――――――― 154

02 ネットメディアのコンテンツ
　　オンラインコンテンツ市場の規模推移 ――――――――――――――― 156

03 ビッグテックと広告①
　　世界で最も大きな広告会社「Google」――――――――――――――― 158

04 ビッグテックと広告②
　　ソーシャルメディアの巨人「Facebook」――――――――――――――― 160

05 ビッグテック③
　　プラットフォーマーは新たなマスメディアか ――――――――――――― 162

06 日本のビッグテック
　　日本で大きな影響力を持つ「Zホールディングス」――――――――――― 164

07 ネットと報道
　　人気を集めているニュースアプリ ――――――――――――――――― 166

08 ソーシャルメディアと広告
　　ソーシャルメディアによる広告ターゲットの絞り込み ―――――――――― 168

09 定額動画配信
　　サブスクリプション型動画配信の進展 ――――――――――――――― 170

10 定額音楽配信
　　ネットで息を吹き返した音楽業界 ――――――――――――――――― 172

11 メタバース
　　3次元仮想空間メタバースは普及するのか ――――――――――――― 174

12 生成AI
　　ChatGPTは次世代のマスメディアなのか ―――――――――――――― 176

13 インターネット広告の内訳
　　伸びる動画インターネット広告 ―――――――――――――――――― 178

14 インターネット広告の種類
　　かつての主流、予約型広告と現在の主流、運用型広告 ――――――――― 180

15 RTB
　　運用型広告を支えるリアルタイムビッディング ――――――――――――― 182

16 第三者配信
　　サードパーティークッキーの制限 ――――――――――――――――― 184

17 ネット広告に携わる事業者
   ネット広告ビジネスの主なプレイヤー ················ 186

18 ネットメディア内の業務
   ネットメディアで働く人々 ················ 188

19 ネットメディアの信頼性
   ネットメディアとコンプライアンス ················ 190

COLUMN 6

知っておきたいマスメディア論⑥ 補強効果と沈黙の螺旋理論 ········· 192

Chapter 7

マスコミの未来

01 「マスゴミ論」の正否
   マスコミは「マスゴミ」なのか ················ 194

02 報道機関の危機
   危機に瀕する従来型マスメディア ················ 196

03 NYT の成功事例
   DX に成功したニューヨークタイムズ ················ 198

04 従来型マスメディアがとるべき戦略
   戦略としてのデジタルファースト ················ 200

05 従来型マスメディアの未来
   デジタルを経営基盤に据える ················ 202

COLUMN 7

知っておきたいマスメディア論⑦ フレーミング効果 ················ 204

参考文献・参考資料 ················ 205
索引 ················ 207

第1章

マスコミとは何か

マスコミはマスコミュニケーションの略です。マスとは大衆を意味しますから、大衆に情報を伝達するのがマスコミです。第1章ではマスコミをめぐる用語の定義から始め、業界に生じている大きな流れとマスコミ業界全体について俯瞰します。

用語の定義

「メディア」と「コミュニケーション」の関係

マスコミやマスコミュニケーション、マスメディア、あるいは単にメディアなど、よく似た言葉が多様な使われ方がされています。以下、まずはこの点を整理しておきます。

メディアとは何か

私たちは別の誰かに自分の意思を伝えます。コミュニケーションとはこの意思を伝達する活動を指します。コミュニケーションには多様な形態がありますが、最も基本になるのが会話によるコミュニケーションです。

例えば、ある情報を会話によって伝える場合、送り手は情報を言葉に変換します。これを符号化*といいます。音声として発した言葉は、空気の振動により受け手に伝わります。受け手は言葉を解釈して意味を理解します。これを復号化*といいます。

あるいは手紙について考えると、まず自分の気持ちを文字にして紙に書きます（符号化）。この手紙を手渡しされた受け手は、手紙に書いてある文字を解釈して内容を理解します（復号化）。

このようにコミュニケーションでは、メッセージの送り手と受け手を媒介するものが存在します。会話の場合、音声を伝える空気、手紙の場合は文字を書いた紙がそれにあたります。このような媒介物を媒体、あるいは英語でメディア*といいます。

不特定多数を対象にしたコミュニケーション

ある情報を1対1ではなく、一度に不特定多数の人に届ける場合にもメディアは不可欠です。このように多くの人々に情報を伝達するメディアを、「大衆・大量」を意味する「マス」を用いてマスメディアあるいはマス媒体といいます。

そして、このマスメディアを用いて、不特定多数の人々に大量の情報を伝達することをマスコミュニケーションといいます。「マスコミ」とはこのマスコミュニケーションの略語です。

ただし、マスコミュニケーションと表現した場合、大量の情報

符号化
encoding（エンコーディング）。情報を符号にすることを指す。

復号化
decoding（デコーディング）。符号から情報を読み出すことを指す。

メディア
media。medium の複数形。中間にあるものや間に入って媒介するものを意味する。

▶ 本書で用いる用語

用語	意味
媒体（メディア）	メッセージの送り手と受け手を媒介するもの。
マス媒体	不特定多数の人々に情報を伝達するメディア（媒体）。
マスコミュニケーション	マス媒体を利用したコミュニケーション。
マスメディア	マスコミュニケーションを行う主体。
マスコミ	マスコミ媒体やマスコミ四媒体など限定的に使用。

【参考】

用語	意味
マス	大衆。無批判的で異質的、かつ匿名的な集団。
パブリック	公衆。批判精神を持ち合理的に判断する集団。
クラウド	群衆。一時的にある場所に集まっている互いに見ず知らずの集団。

を伝達する活動そのものを指すニュアンスが強いようです。これに対してマスコミと表現した場合、大量の情報を伝達する主体を指す傾向が強いといえます。また、単にメディア、あるいはマスメディアと表現して、こうした情報伝達の主体を指す場合が多くなってきています。

　このように言葉の意味が錯綜していますが、本書では次のような方針をとりたいと思います。

・不特定多数の人々に情報を伝達するメディア……**マス媒体**
・マス媒体を用いたコミュニケーション……**マスコミュニケーション**
・マスコミュニケーションを行う主体……**マスメディア**

　略語のマスコミについては、本書のタイトルであるマスコミ業界や次節でふれるマスコミ四媒体のような慣用語に限定して使用したいと思います。

マスコミ四媒体とは何か

従来、マスコミュニケーションに用いる媒体の代表格として、その存在感を放ってきたのが新聞、雑誌、ラジオ、テレビという4つの媒体です。これらをまとめてマスコミ四媒体と呼びます。

マスコミ四媒体とその主体

従来、マスコミュニケーションに用いる媒体には紙と電波がありました。

紙を用いるマス媒体の代表が新聞と雑誌です。紙に文字を印刷することから印刷メディアとしてひとくくりにできます。

電波を用いるマス媒体の代表がラジオとテレビです。電波を用いて情報を一斉に伝達することを放送[*]といいます。ですから、媒体に電波を用いるテレビとラジオは放送メディアとしてまとめることができます。

そして、これら新聞、雑誌、ラジオ、テレビの4つの媒体をひとくくりにしてマスコミ四媒体[*]と呼んできました。これらマスコミ四媒体を通じて情報を伝達する主体は、それぞれ新聞社、出版社（雑誌社）、ラジオ局、テレビ局です。

歴史的には、新聞、次に雑誌の印刷メディアがマス媒体として出現し、その後、放送メディアのラジオ、そしてテレビが続きました。従来、「マスコミ」と表現した場合、マスコミ四媒体の主体であるこれら4者を指す傾向にありました。

ゲートキーピング機能とは何か

マスコミ四媒体が担ってきた重要な機能にゲートキーピング機能があります。ゲートキーピング機能とは、伝える情報と伝えない情報を選別する機能を指します。

世の中は情報にあふれています。しかし、マスメディアがこれらすべての情報を無差別に提供していては、受け手の混乱は必至です。あまたある情報の中から多くの人が求める情報を選び出し、整理し、編集して、タイムリーに提供することがマスメディアに

放送
「公衆によって直接受信されることを目的とする電気通信の送信」（放送法第二条一）を指す。

マスコミ四媒体
他にも「四大マス媒体」や「四マス」「マス四」などとも呼ばれてきた。

▶ マスコミ四媒体

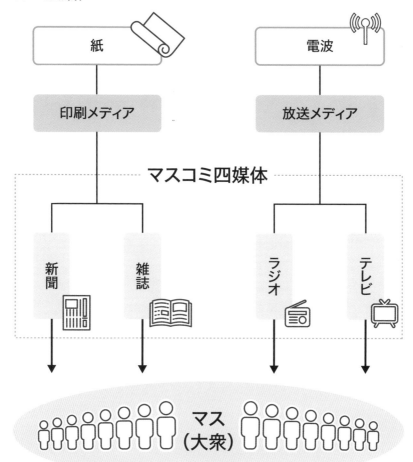

は求められます。これがマスメディアの持つゲートキーピング機能です。

　私たちが社会で起きていることを知る範囲には限度があります。そのため私たちはマスメディアのゲートキーピング機能を信頼した上で、社会で起きているさまざまな出来事を認識します。

　ウクライナでの悲劇も、マスメディアの存在がなければ、私たちが現状を把握するのは極めて困難です。その意味で私たちが持つ社会に対する認識は、マスメディアに大きく依存しているといえます。

Chapter1 03

インターネットが持つ3つの潜在能力

マスコミ四媒体は特定かつ少数の事業者によって寡占されてきました。そのため、不特定多数の人々を対象に情報を発信できる者は限られていました。しかしインターネットの出現で、状況は大きく変わりました。

インターネットの出現

従来、マスコミ四媒体の主体は、特定かつ少数の事業者が寡占してきました。ここでは便宜上、これらの事業者を従来型マスメディアと呼ぶことにしましょう。

例えば従来型マスメディアの1つであるテレビ局を考えた場合、NHKと東京のキー局5社及びそのネットワークである5系列が絶大な力を振るってきました。そのため、テレビ放送メディアを用いて不特定多数の人々に情報を発信できる者は限られていました。他の従来型マスメディアも程度の差こそあれ状況は同じようなものでした。

そのような状況の中に出現したのがインターネットです。インターネットは従来型マスメディアを揺るがす大きな能力が少なくとも3つありました。

1つはインターネットを利用すると、誰もが情報の受け手であると同時に情報の送り手にもなれることでした。これは従来、情報の受け手として甘んじてきた大衆（マス）が、一夜にして情報発信力を身につけたことを意味しています。

デジタル情報の衝撃

次に、インターネットが扱う情報がデジタル情報だったことです。ビットからなるデジタル情報の正体は「0」と「1」の羅列です。テキストであれ、静止画であれ、音声であれ、動画であれ、デジタル情報であれば「0」と「1」に還元できます。

従来、マスコミ四媒体では、テキストと静止画は新聞と雑誌、音声はラジオ、動画（映像）はテレビというように、媒体によって扱う情報のタイプに違いがありました。ところがインターネッ

キー局5社
東京を拠点とするテレビ放送局5社を指す。日本テレビ、フジテレビ、テレビ朝日、TBS、テレビ東京がその5社にあたる。

デジタル情報
連続的でない離散的な符号による情報。インターネットが扱う情報は、厳密にいうとデジタル情報のうちの**ビット情報**（0と1）ということになる。

> インターネットの衝撃

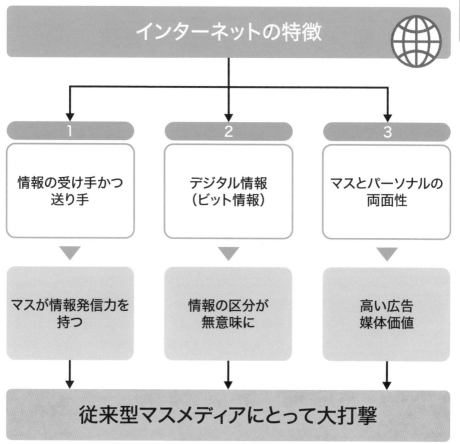

インターネットの特徴

1 情報の受け手かつ送り手

2 デジタル情報（ビット情報）

3 マスとパーソナルの両面性

マスが情報発信力を持つ

情報の区分が無意味に

高い広告媒体価値

従来型マスメディアにとって大打撃

トだと、テキスト、静止画、音声、動画のいずれにも対応し、従来の区分は無意味になります。

　こうして大衆は、テキストや静止画のみならず、従来はテレビ局の独壇場だった動画を送信する能力も身につけたわけです。結果、従来型マスメディアの力は相対的に低くなりました。

　最後はインターネットが持つ対象の両面性です。従来型マスメディアは基本的に不特定多数を対象にメッセージを伝えてきました。これに対してインターネットは不特定多数のマスにも、プロフィールが明確なパーソナルにも、両面で対応できます。このような両面性を持つインターネットは、ターゲットに自在にアプローチできるため、**広告媒体価値が非常に高く**なったわけです。

目を見張る
インターネット広告の進展

2021年、インターネット広告費がマスコミ四媒体広告費を初めて上回り、2022年はその差が広がりました。これは従来型マスメディアに対して、ネットメディアがいかに力をつけているかを示しています。

電通「日本の広告費」

日本の広告費
日本最大の広告会社電通が毎年2月に公表する、日本国内で1年間（1〜12月）に使われた広告費（広告媒体料と広告制作費）の統計。
https://www.dentsu.co.jp/knowledge/ad_cost/index.html
参照。

2012年
グラフの表記には「年」と「年度」がある。例えば「2022年」は「2022年1月〜12月」を意味し、「2022年度」の場合は一般に「2022年4月〜2023年3月」を意味する。またこの場合、「2022年度」は「2023年3月期」と同じ意味になる。

マスコミュニケーションの媒体としてインターネットがいかに重要なのか、広告会社電通が毎年公表している「日本の広告費」にその指標が掲載されています。

右ページのグラフは、同レポートの数値をもとに、マスコミ四媒体広告費とインターネット広告費の推移及びそれぞれが日本の総広告費に占める割合を見たものです。

2012年時点におけるマスコミ四媒体広告費は2兆8,809億円、日本の総広告費に占める割合は48.9%とほぼ半分に及びました。これに対してインターネット広告費は8,680億円、日本の総広告費に占める割合は14.7%でした。しかしそれ以後を見ると、マスコミ四媒体広告費の足踏み状態が続くのを尻目に、インターネット広告費は右肩上がりで規模を拡大します。2020年は、コロナ禍の影響によりマスコミ四媒体広告費が大きく落ち込んだのに対して、インターネット広告費の拡大は止まりませんでした。

そして2021年、マスコミ四媒体広告費が2兆4,538億円だったのに対して、インターネット広告費は2兆7,052億円と、初めてマスコミ四媒体広告費を上回りました。2022年にはこの差がさらに開き、マスコミ四媒体広告費が2兆3,985億円（総広告費に占める割合33.8%）、対するインターネット広告費は3兆912億円（同43.5%）になりました。

ネットメディアがマスコミュニケーションの主流に

この数字は、マス媒体として、マスコミ四媒体よりもインターネットの重要度が高まったことを意味します。もっとも、これを理由にマスコミ四媒体が不要になるわけではありません。しかし

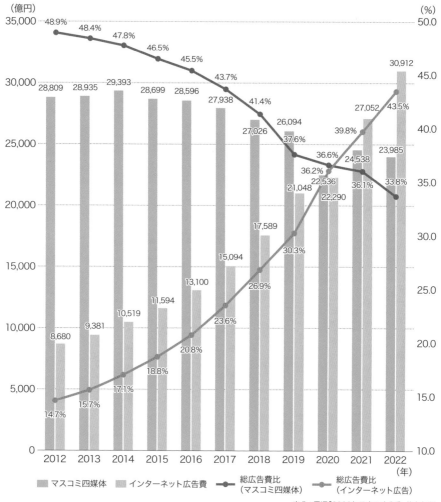

▶ マスコミ四媒体広告費とインターネット広告費の推移

出典：電通「2022年日本の広告費」他各年版

ながら、マスコミ四媒体とインターネットの力関係が大きく変わ
ろうとしているのは明らかです。

　以下、本書では、マス媒体としてとらえたインターネットでコ
ミュニケーション活動を行う主体をネットメディアと表現したい
と思います。その意味で、マスメディアを考える場合、従来のマ
スコミ四媒体にネットメディアを加えることが欠かせません。つ
まり、いまや「マスコミ業界」を語る上で、インターネットによ
るコミュニケーションを欠かすことはできないわけです。

Chapter1
05

マスメディア業界を俯瞰する

本書が扱うマスメディア業界（マスコミ業界）とは、マスコミ四媒体を軸とする従来型マスメディアにネットメディアを加えたものです。さらに、両者と深い関係のある広告もその領域に属しています。

業界を理解するための見取り図

　第1章1節〜第1章4節までの説明を念頭に、ここでは本書が対象とするマスメディア業界（マスコミ業界）を俯瞰してみましょう。あらかじめ業界の全貌をとらえることができれば、細部に斬り込むこともきっと容易になるはずです。

　右図を見てください。これはマスメディア業界を俯瞰した概念図です。マスを対象にコミュニケーションをするための媒体（メディア）がマス媒体であり、その主体がマスメディアです。その中身を示しているのが図の中央です。

　その左部はマスコミ四媒体からなる従来型マスメディアです。これに対して右部はインターネットを媒体とするネットメディアです。ネットメディアの事業者もいくつかに分類できます。

　まず、従来のマスコミ四媒体が提供してきた情報をインターネット上のコンテンツとして提供する事業者です。ポータルサイトや専門サイトがそれにあたります。また、マスコミ四媒体にはない、インターネット特有の検索サイトを運営する事業者が存在します。さらにソーシャルメディア（SNS）や動画・音楽配信メディアを運営する事業者です。将来的にはメタバースを提供する事業者が力を持つかもしれません。

　さらに、新旧のマスメディアは、いずれも広告を収入源の一部（または全部）として経営を成り立たせています。したがって、広告をマスメディアからはずすことはできません。

　以上、本書が対象にするマスメディア（マスコミ）業界は、マスコミ四媒体（従来型マスメディア）、ネットメディア、広告からなることが理解できます。また広告は、マスコミ四媒体広告とインターネット広告からなっていることもわかります。

SNS
Social Network Serviceの略。ソーシャルメディアの他に交流サイトや共有サイトなどと呼ばれることもある。

メタバース
コンピュータ内やインターネット上に構築された3次元仮想空間を指す。いま、新たなフロンティアとして注目されている。第6章11節参照。

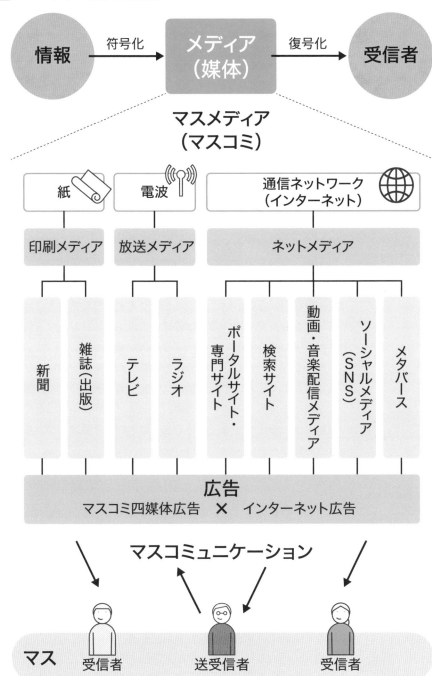

▶ マスメディア業界の概念図

情報 —符号化→ メディア（媒体）—復号化→ 受信者

マスメディア（マスコミ）

| 紙 | 電波 | 通信ネットワーク（インターネット） |

| 印刷メディア | 放送メディア | ネットメディア |

新聞　雑誌（出版）　テレビ　ラジオ　ポータルサイト・専門サイト　検索サイト　動画・音楽配信メディア　ソーシャルメディア（SNS）　メタバース

広告
マスコミ四媒体広告 ✕ インターネット広告

マスコミュニケーション

マス　受信者　送受信者　受信者

Chapter1 06

マスメディア業界から求められる「人財」

従来型マスメディア、ネットメディア、広告からなるマスメディア業界では、どのような人材が求められているのでしょうか。ここでは全マスメディアに共通する人材観についてふれたいと思います。

人好き×好奇心

　まず、マスコミ四媒体からなる従来型マスメディアを前提に、そこで働く人について考えてみましょう。マスメディアで働く人に共通するのは、多くの人とふれ合いながら情報を得て、不特定多数の人々が必要とする情報を提供することでした。情報を得るのも人、情報を提供するのも人です。

　このようにマスメディアで働く人は、人との交流を好む人であり、好奇心が旺盛という共通点があります。情報を得るには人との交流が必要ですし、適切な情報を提供するには、人々が何を欲しがっているのかといった好奇心が欠かせません。

　ただし、人好きと好奇心旺盛と同等、もしくはそれ以上に大切なことがあります。それは個性、つまり他人とは異なる自分らしさを持っていることです。結果、マスメディアで働く人々は、個性的な人の集団ながら、好奇心と人好きの点で共通点があるということになります。

個性×デジタル情報技術に関する経験と知識

　では、個性的とは何を意味しているのでしょうか。それは、夢中になれるものがある、ということです。例えば、あるマスメディアに勤める私の知人には、戦車にめっぽう詳しい人物がいます。また、別の人物はバスのオタクで、日本全国の路線バスや観光バスを写真に収めることを趣味にしています。

　こうした夢中になれる活動をしていると、普通の人が知らない知識や経験が蓄積されていきます。それがその人の個性になるわけです。その上で、他のメンバーの個性を最大限にリスペクトして、人と交流できることが重要になります。

▶ マスメディア業界が求める人財

一方、ネットメディアやインターネット広告に見られるデジタル化への大変化を前提にすると、デジタル情報技術に対する感度が高い人材が求められています。従来型マスメディアでも、過去のビジネスモデルと決別したデジタルトランスフォーメション（DX*）が喫緊の課題になっており、デジタル情報技術に精通する人材を喉から手が出るほど欲しがっています。ネットメディアはいうまでもないでしょう。

日本の広告会社最大手電通では、人材を「人財*」と表現しています。「人好き×好奇心×個性×デジタル情報技術」は「人財」に欠かせない要素になるのではないでしょうか。

DX
Digital Transformation の略。「trans」は「cross」の意味があり、この部分を「X」とし、Digital の「D」と合わせてDX となる。

人財
人を企業の財産と考える態度。第5章7節「日本の広告業を牛耳る『電通』」参照。

知っておきたいマスメディア論①
強力効果論と限定効果論

パニックを引き起こした「宇宙戦争」事件

　1938年、ハロウィーンの祝日だった10月30日に、アメリカのCBSで「宇宙戦争」というラジオドラマが放送されました。これはイギリスの作家H.G.ウェルズが1898年に発表したSF小説で、地球に侵入してきた火星人が地球人と闘うというストーリーです。番組は名優オーソン・ウェルズによる迫真に迫る語りで生放送されました。

　すると、ドラマである火星人の来襲を実際のニュースだと信じ、多くの人々がパニックに陥りました。これが世にいう「宇宙戦争」事件です。

　「宇宙戦争」事件は、マスメディアが人々に対して極めて強力な効果を発揮することを物語っています。このように、人々に対するマスメディアの影響力を絶大視する立場を強力効果論といいます。その即効性か

ら皮下注射モデルや魔法の弾丸理論とも呼ばれるようになった強力効果論は1920年代〜1930年代のアメリカにおいて提唱された、古典的なマスメディア論の１つです。

強力効果論に対峙する限定効果論

　しかし、1940年代になると強力効果論に疑問を持った研究者が、マスメディアの影響力は限定的だとする限定効果論を提唱するようになりました。

　この説を支える有力なモデルの１つがコミュニケーションの２段の流れです。

　このモデルでは、マスメディアの情報が個人に直接影響するのではなく、メッセージはその人が所属する準拠集団のオピニオンリーダーに達し、オピニオンリーダーを通じて集団内のメンバーに間接的に伝わるという、２段の流れを想定しています。

第 2 章

放送

従来、マスコミ四媒体の中で絶大な力を誇ってきたの
がテレビ放送です。しかしながら、インターネットが
世に現れて以来、テレビが持つ神通力にも綻びが見え
てきたようです。本章では放送業界が置かれた立場と
各社の状況、業界の仕組みなどを解説します。

Chapter2
01

そもそも「放送」とは何か

放送は「公衆によって直接受信されることを目的とする電気通信の送信」（放送法第二条一）を指します。よく通信と放送の融合といわれますが、放送法が明記するように、そもそも放送とは通信の一形態なのです。

さまざまな放送の種類

ひと口に放送といってもさまざまな形態があります。例えば使用する電波の周波数帯によって、

❶ AM ラジオ放送
❷ 短波ラジオ放送
❸ FM ラジオ放送
❹ テレビジョン放送

に分類できます。

また、送信方法の違いから放送を見ると、下記のように分類できます。

❶ 地上放送

地上放送は、地上に建設したラジオ塔やテレビ塔から電波を放出し放送を提供します。従来、最も親しまれてきた放送形態です。

❷ 衛星放送

衛星放送は、上空に浮かぶ人工衛星から電波を降らして、広範な地域に放送を提供します。衛星放送は、人工衛星の位置や放送を送り出す仕組みの違いから、衛星基幹放送と衛星一般放送の2種類に分かれています。

❸ 有線放送

有線放送は地上放送や衛星放送が用いる無線ではなく、メタル（銅）ケーブルや光ファイバーなどを利用して放送を提供します。これを有線ケーブルテレビジョン（ケーブルテレビ）やCATV*と呼んでいます。

❹ IP放送*

IP放送はインターネットを通じて放送を提供します。正式には地上デジタル放送IP再放送といいます。

CATV
Community Antenna TeleVision の略。

IP放送
IPはインターネット・プロトコル (Internet Protocol) の略。インターネットで用いられている通信手順を指す。

▶ 民間放送事業者の数

	事業の別		事業者数	売上高 （百万円）
地上系	テレビジョン 放送事業者	テレビジョン放送 単営社	96	1,866,888
		中波（AM）放送 テレビジョン放送 兼営社	31	191,054
		小計	127	2,057,942
	ラジオ放送 事業者	中波（AM）放送 単営社	16	45,988
		短波放送 単営社	1	1,738
		超短波（FM）放送 単営社	50	50,988
		小計	67	98,714
	テレビ・ラジオ計		194	2,156,656
	コミュニティ放送		305	13,487
	地上系合計		499	2,170,143
衛星系	衛星基幹 放送	BS放送	19	205,923
		東経110度 CS放送	20	82,238
	衛星一般放送		4	53,645
	衛星系合計※		39	341,806
ケーブルテレビ	ケーブルテレビ		275	499,034

※ BS放送と東経110度CS放送を兼営する事業者が3社、衛星基幹放送と衛星一般放送を兼営する事業者が1社あるが、統計上は分計されているため、衛星基幹放送事業者数と衛星一般放送事業者数を合計した数と衛星系の合計は一致していない

出典：総務省「令和3年度放送事業収支状況」

Chapter2 02

日本における放送の始まり

日本における放送は、1925（大正14）年3月から始まったラジオ放送がその端緒になります。テレビ放送は1953年2月から始まり、2023年には70周年を迎えました。

ラジオ放送からテレビ放送へ

　1925（大正14）年3月、社団法人東京放送局がラジオ放送を開始しました。その後、大阪放送局（6月）、名古屋放送局（7月）が開局し、翌1926（大正15）年8月に3局が1つになり社団法人日本放送協会（NHK）が発足します。以後、第二次世界大戦後まで、民間ラジオ局は存在せず、NHKが放送を独占しました。

　戦後の1950（昭和25）年、放送法*が成立し、同法にもとづく現在の日本放送協会が設立されました。また同法の成立で放送への民間事業者の参入が可能になります。翌1951（昭和26）年には名古屋の中部日本放送（現CBCラジオ）の開局を皮切りに、6事業者がラジオ放送を開始しました。

　それから早くも2年後の1953（昭和28）年2月にNHKがテレビ放送を開始し、同年8月には日本テレビ放送網が民放初のテレビ局として開局しました。2023年はテレビ放送開始70周年の節目の年で、日本テレビでは記念事業として特別番組など多様な企画を実施しています。

　従来、これらの放送は地上波を用いていましたが、衛星から放送電波を送出する衛星放送が1987年から始まりました。さらに1990年には、初の衛星民放テレビ・日本衛星放送（現・WOWOW）と衛星デジタル音声放送・セントギガが開局しています。

デジタル放送の時代へ

　2000年代に入ると、放送のデジタル化が急速に進みます。2000（平成12）年には、衛星デジタルテレビジョンによるハイビジョン放送が始まりました。また、2003年12月には、関東・中京・近畿の広域圏で地上波デジタル放送がスタートしました。

放送法
1950（昭和25）年に制定された法律で、放送を公共の福祉に適合するよう規律し、その健全な発展を図ることを目的にしている。

サイマル放送
アナログ放送とデジタル放送を同時並行で提供することを指す。放送波とインターネットで同時にラジオ番組やテレビ番組を放送することもサイマル放送という。

▶ 日本における放送小史

年	和暦	出来事
1925	大正14	社団法人東京放送局がラジオ放送を開始。
1926	大正15	社団法人日本放送協会(NHK)が発足。
1950	昭和25	電波法、放送法、電波監理委員会設置法(いわゆる「電波三法」)が施行される。
1951	昭和26	6事業者がラジオ放送を開始。
1953	昭和28	NHKがテレビ放送を開始。
1953	昭和28	日本テレビ放送網がテレビ局を開局。
1960	昭和35	NHKと民放4社がカラー放送を開始。
1987	昭和62	衛星放送が始まる。
1990	平成2	WOWOWが民放初の有料放送をスタート。
2000	平成12	ハイビジョン放送が始まる。
2003	平成15	地上波デジタル放送がスタートする。
2010	平成22	IPサイマルラジオ「radiko.jp」が本配信開始。
2012	平成24	全国でデジタル化が完了する。
2015	平成27	NHKで番組の一部のインターネット同時配信が始まる。
2015	平成27	民放キー局5社がTverのサービスを開始。
2018	平成30	NHKがBS4K、BS8K放送開始。

その後、サイマル放送[*]の期間を経て、2012年3月末に全国でデジタル化が完了しました。

　その後は放送とインターネットの融合が急速に進み、2015年にはNHKで番組の一部のインターネット同時配信が始まります。さらに同年、民放キー局5社がTver[*]のサービスを始めています。

　いまやテレビ放送は放送波のみならずインターネットを通じ、スマホやモバイル端末などで、どこにいようが見たい時に見られるようになりました。日本でテレビ放送が始まって70年、放送サービスは大変化の時代を迎えています。

Tver
インターネットを通じて、放送終了後の番組を配信する。現在は一部番組で放送と同時に配信している。第2章14節参照。

放送業界はどんな構造になっているのか

放送では、放送局などが制作した番組を、地上放送や衛星放送、有線放送、IP放送を通じて不特定多数に一斉に提供します。ただし、放送事業に参画している企業によって、そのビジネスモデルは異なります。

ビジネスモデルはさまざま

　NHKや民間放送事業者による地上テレビ放送や地上ラジオ放送の場合、局が自ら設備を整備し、電波などを通じて番組を提供します。ただし民間放送事業者は広告から主たる収益を得ますから、番組に広告主（スポンサー）をつけることが欠かせません。NHKは受信料が収益の柱ですから広告は放送しません。

　また、民間放送事業者の場合、全国に向けて番組を放送するために、特にテレビ放送では在京のテレビ局、いわゆるキー局5社が主体となって、それぞれが地方の放送局とネットワーク（第2章6節）を組んでいます。民間放送事業者は、このネットワークを通じて、全国津々浦々に番組を放送しています。

　ケーブルテレビ事業者も、自ら設備を整備する点ではテレビ局と同様です。ただし、ケーブルテレビの場合、番組は外部から調達するのがほとんどです。ケーブルテレビ事業者は契約者からの加入料や月額視聴料以外に、電話サービスやインターネット・サービスから収益を得ています。これら3サービスの提供をトリプルプレーと呼んでいます。

　衛星放送には衛星基幹放送と衛星一般放送があります。衛星基幹放送では、放送番組を制作・編集する衛星基幹放送事業者が放送局を管理する基幹放送局提供事業者に番組の放送を委託します。また、衛星一般放送では電気通信事業者が管理する衛星の放送設備を衛星一般放送事業者が借り受けて放送を行います。

　さらにIP放送の場合、伝送媒体が既存のインターネット（電気通信ネットワーク）になります。

　このように、テレビ番組は多様な経路を通じて私たちのテレビ画面に届いています。

▶ 放送業界の構造

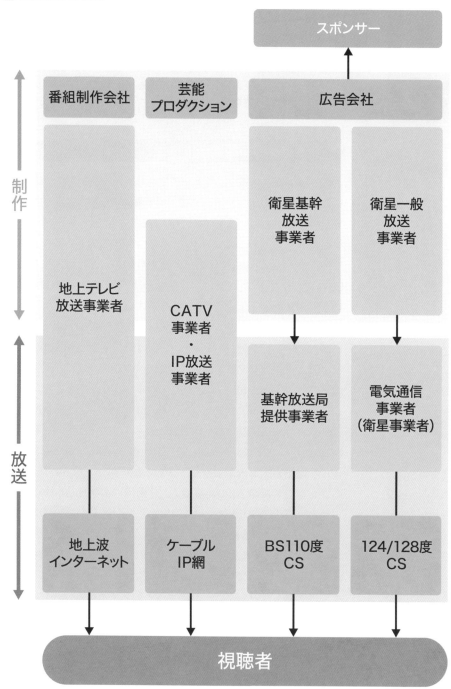

Chapter2 04

放送市場の構成比が変化してきている

日本の放送を収益の面から見ると二元体制によって成立していることがわかります。1つは受信料収入を柱とするNHK、もう1つは広告収入や有料放送収入を柱とする民間放送事業者です。

放送業界の市場規模推移

　右ページのグラフは、2008年度から見た放送業界の市場規模推移を、地上系民間放送事業者、衛星系民間放送事業者、ケーブルテレビ事業者、NHKの4者ごとに見たものです。

　グラフからもわかるように、2008年度の3兆9,689億円から2019年の3兆8,643億円まで、市場は3兆8,000億円台〜3兆9,000億円台を上下してきました。この間の放送業界の市場規模はざっくりと約3.9兆円と表現してもよいでしょう。

　しかしながら、2020年度は新型コロナ禍の影響により、3兆5,552億円まで落ち込みました。これは前年比92.0%という大きな下落です。直近の2021年度を見ると、市場規模は3兆7,157億円（前年比104.5%）まで戻しています。しかしながら、2019年以前の規模にまではまだ戻っていないのが現状です。

　NHKと地上系民間放送事業者に注目すると、2008年度当時、NHKの売上収入は6,624億円でした。その後、NHKは2018年度まで手堅く売上収入を増やしてきたことがグラフからわかります。しかしコロナ禍の2020年度は7,137億円（前年比96.8%）と落ち込み、直近の2021年度は7,048億円（同98.8%、2008年度比106.4%）と2年連続で下落しました。

　これに対して地上系民間放送事業者は、2008年度当時の売上が2兆4,493億円でしたが、その後市場は徐々に縮小し、2021年度は2兆1,701億円で、2008年度と比較すると88.6%になっています。これはNHKと対照的です。

　2008年度と2021年度の放送市場構成比を比較すると、NHKが16.7%から19.0%に拡大する一方で、地上系民間放送事業者は61.7%から58.4%に縮小しています。

▶ 放送業界の市場規模

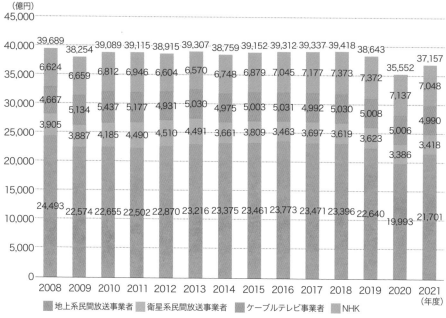

出典：総務省「令和4年版情報通信白書」「令和3年度民間放送事業者の収支状況」

▶ 放送市場構成比（2008年度、2021年度）

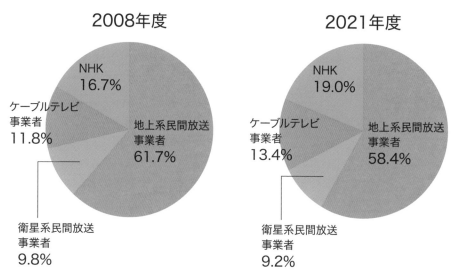

出典：総務省「令和4年版情報通信白書」「令和3年度民間放送事業者の収支状況」

Chapter2
05

地上波テレビ広告費は
1兆6,768億円に沈んだ

かつてテレビ広告は広告媒体の王様でした。しかし、インターネットの出現によりそのポジションは揺らいでいます。その様子はテレビ広告費の推移から読み取れます。

地上波テレビ広告費の推移

前節では地上系民間放送事業者が苦戦を強いられている点について見ました。ここでは、民間テレビ放送事業者に絞ってその収益状況を見てみましょう。民間テレビ放送事業者の収益の柱は広告収入です。右ページに示したグラフは地上波テレビ広告費（衛星は含まず）の長期推移を見たものです。

2012年、地上波テレビ広告費は1兆7,757億円でした。その後、地上波テレビ広告費は1兆7,000億円台と1兆8,000億円台を上下しながら推移します。しかしながら、新型コロナ禍により2020年の地上波テレビ広告費は大きく落ち込み、1兆5,386億円、前年比88.7％になりました。2021年は1兆7,000億円台を回復したものの、2022年は1兆6,768億円（前年比97.6％）と、再び1兆6,000億円台に沈みました。

総広告費に対する地上波テレビ広告費が占める割合を見ると2012年は30.1％で、その後下降トレンドで推移します。2019年には25.0％まで低下し、ここで一旦踏み止まりますが、直近の2022年は23.6％にまで落ち込んでしまいました。

テレビ広告の低迷の1つとして考えられるのがインターネットのブロードバンド化*です。かつて映像の視聴サービスはテレビの独壇場でした。しかし、高速インターネットの登場、スマートフォンの普及と高速大容量化により、時間や場所を問わずテレビ以外のデバイスで映像を視聴できるようになりました。

しかしながら、いまだにテレビ発の話題がネット上でブームになるように、テレビが持つ情報発信力は決して侮れません。今後はインターネット広告が得意とする、データを駆使した広告効果の可視化がテレビ広告にも望まれます。

ブロードバンド化
インターネットの高速大容量化を指す。ブロードバンドインターネット接続にはADSLやケーブルインターネット、FTTHなどがある。

▶ 地上波テレビ広告費の推移

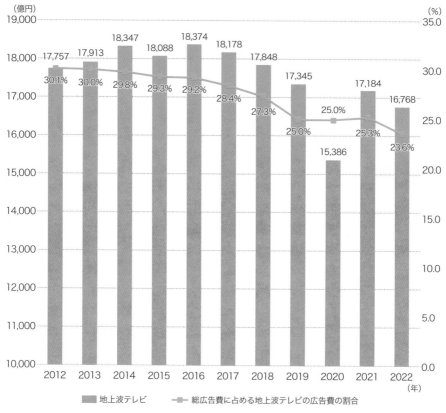

出典：電通「2022年 日本の広告費」他各年版

▶ 総広告費に占める地上波テレビ広告費の割合

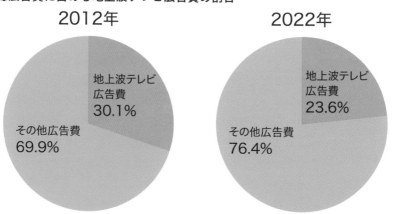

出典：電通「2022年 日本の広告費」他各年版

キー局を中心に全国各地に
ネットワークを結ぶ

民間テレビ放送では、東京を拠点とする放送局（キー局）によって、地方の
放送局がネットワークされています。このネットワーク系列を通じて、全国
各地に同じ番組や同じ広告が放送されます。

● キー局を中心にしたテレビ放送ネットワーク

県域免許制度
地域免許制度とも呼ばれるもので、県単位に放送を認める制度。放送法が策定を定める放送普及計画がその根拠になっている。

ネットワーク協定
業務協定とニュース協定から成る。業務協定は番組編成の一括セールスに関する契約、ニュース協定は報道番組の共同編成に関する契約を指す。

　地上波テレビ放送では、県域免許制度[*]により県域が放送エリアとなっています。ただし、関東、関西、及び中部地方は例外で、例えば関東の場合、東京・群馬・栃木・茨城・埼玉・千葉・神奈川と、県をまたいだ放送が認められています。

　もっとも、この形態だと、1つの地上テレビ放送局だけでは日本全国への放送が行えません。そこでネットワーク協定[*]が考案されました。これは、東京の放送局（キー局）が地方の放送局（ローカル局）と結んだ、番組やニュース編成に関する協定です。ネットワーク協定により、キー局を中心に、全国各地へ同じ番組、同じ広告を提供できます。

　地上波民間テレビのキー局は、日本テレビ、TBS、フジテレビ、テレビ朝日、テレビ東京の5局からなります。そしてそれぞれのキー局が、NNN（日本テレビ系列／30社）、JNN（TBS系列／28社）、FNN（フジテレビ系列／28社）、ANN（テレビ朝日系／26社）、TXN（テレビ東京系／6社）という5つのネットワークを形成しています。

　これらの5つのキー局は、全国紙を展開する新聞5社と深い関係があります。読売新聞（日本テレビ）、産経新聞（フジテレビ）、朝日新聞（テレビ朝日）、毎日新聞（TBS）、日本経済新聞（テレビ東京）という関係です。これには、民間の地上波テレビ放送局が、新聞社を母体に成立した経緯があります。また、ローカル局が地方紙と深い関係があるのも同様の経緯からです。

　地上波ラジオ放送にも県域免許制度の縛りがあるためネットワークは存在します。しかし、テレビ放送のネットワークほど局同士が強固な関係を結んでいるわけではありません。

▶ 地上波民間テレビ局のネットワーク系列

	JNN (28社)	NNN (30社)	FNN (28社)	ANN (26社)	TXN (6社)	独立協 (13社)
北海道	北海道放送	札幌テレビ放送	北海道文化放送	北海道テレビ放送	テレビ北海道	
青 森	青森テレビ	青森放送		青森朝日放送		
岩 手	IBC岩手放送	テレビ岩手	岩手めんこいテレビ	岩手朝日テレビ		
宮 城	東北放送	宮城テレビ放送	仙台放送	東日本放送		
秋 田		秋田放送	秋田テレビ	秋田朝日放送		
山 形	テレビユー山形	山形放送	さくらんぼテレビジョン	山形テレビ		
福 島	テレビユー福島	福島中央テレビ	福島テレビ	福島放送		
東 京	TBSテレビ	日本テレビ放送網	フジテレビジョン	テレビ朝日	テレビ東京	東京メトロポリタンテレビジョン
群 馬						群馬テレビ
栃 木						とちぎテレビ
茨 城						
埼 玉						テレビ埼玉
千 葉						千葉テレビ放送
神奈川						テレビ神奈川
新 潟	新潟放送	テレビ新潟放送網	NST新潟総合テレビ	新潟テレビ21		
長 野	信越放送	テレビ信州	長野放送	長野朝日放送		
山 梨	テレビ山梨	山梨放送				
静 岡	静岡放送	静岡第一テレビ	テレビ静岡	静岡朝日テレビ		
富 山	チューリップテレビ	北日本放送	富山テレビ放送			
石 川	北陸放送	テレビ金沢	石川テレビ放送	北陸朝日放送		
福 井		福井放送	福井テレビジョン放送	福井放送		
愛 知	CBCテレビ	中京テレビ放送	東海テレビ放送	名古屋テレビ放送	テレビ愛知	
岐 阜						岐阜放送
三 重						三重テレビ放送
大 阪	毎日放送	読売テレビ放送	関西テレビ放送	朝日放送テレビ	テレビ大阪	
滋 賀						びわ湖放送
京 都						京都放送
奈 良						奈良テレビ放送
兵 庫						サンテレビジョン
和歌山						テレビ和歌山
鳥 取	山陰放送	日本海テレビ				
島 根			TSKさんいん中央テレビ			
岡 山	RSK山陽放送		岡山放送		テレビせとうち	
香 川		西日本放送		瀬戸内海放送		
徳 島		四国放送				
愛 媛	あいテレビ	南海放送	テレビ愛媛	愛媛朝日テレビ		
高 知	テレビ高知	高知放送	高知さんさんテレビ			
広 島	中国放送	広島テレビ放送	テレビ新広島	広島ホームテレビ		
山 口	テレビ山口	山口放送		山口朝日放送		
福 岡	RKB毎日放送	福岡放送	テレビ西日本	九州朝日放送	TVQ九州放送	
佐 賀			サガテレビ			
長 崎	長崎放送	長崎国際テレビ	テレビ長崎	長崎文化放送		
熊 本	熊本放送	熊本県民テレビ	テレビ熊本	熊本朝日放送		
大 分	大分放送	テレビ大分	テレビ大分	大分朝日放送		
宮 崎	宮崎放送	テレビ宮崎	テレビ宮崎	テレビ宮崎		
鹿児島	南日本放送	鹿児島読売テレビ	鹿児島テレビ放送	鹿児島放送		
沖 縄	琉球放送		沖縄テレビ放送	琉球朝日放送		

出典：日本民間放送連盟ホームページ　https://j-ba.or.jp/category/data/jba104001

Chapter2 07

キー局・準キー局・中京局 とは何か

東京を拠点にするキー局に対して、大阪拠点のテレビ放送局を準キー局、中部地方を拠点にするテレビ放送局を中京局と呼びます。一般にその他をローカル局と呼んでいます。

📍 地上系民間放送局の売上は2兆1,566億円

前節でもふれたように、日本のテレビ放送では、県域免許制度により、県単位で放送免許が与えられます。ただし、関東、関西、中京の広域圏は除外されています。東京を拠点にするキー局の場合、放送エリアは東京・群馬・栃木・茨城・埼玉・千葉・神奈川の1都6県です。

関西の場合は、大阪・滋賀・京都・奈良・兵庫・和歌山の2府4県が放送エリアです。この関西エリアを対象とする放送局を準キー局と呼んでいます。一般に、関西テレビ（フジ系）、朝日放送（テレビ朝日系）、読売テレビ（日本テレビ系）、毎日放送（TBS系）という、大阪を拠点にする4社を指します。

また、中京の放送エリアは愛知県、岐阜県、三重県の東海3県を対象にしています。この東海3県を対象に名古屋に拠点を置く名古屋テレビ放送（テレビ朝日系）、中京テレビ放送（日本テレビ系）、CBCテレビ*（TBS系）、東海テレビ（フジ系）の4社が放送を行っています。これらの放送局を中京局や準々キー局などと呼びます。

これら以外の県や道のローカル局は、原則として県域内での放送を行っています。しかし何ごとにも例外はあるもので、山陰の鳥取県と島根県、山陽の岡山県と香川県では、県域をまたぐ放送*が行われています。

地上系民間放送局の売上推移（右ページ）を見ると、2012年度が2兆2,755億円、2021年度が2兆1,566億円と、市場規模は2012年度比で94.8%に縮小しています。

また、売上に占める割合はキー局が増加、それ以外の放送局で減少しています。

CBCテレビ
旧商号は中部日本放送。同社は2014年に認定放送持株会社に移行し、放送免許はCBCテレビが継承した。

県域をまたぐ放送
テレビ大分やテレビ宮崎などは、複数のテレビ放送ネットワークに所属しており、これも例外の1つといえる。これらの放送局をクロスネット局と呼ぶ。

▶ 地上波民間放送局の売上推移

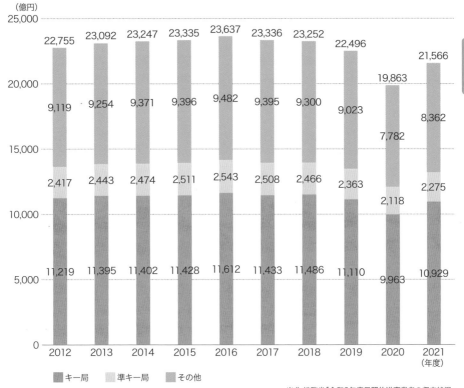

（億円）

	キー局	準キー局	その他	計
2012	11,219	2,417	9,119	22,755
2013	11,395	2,443	9,254	23,092
2014	11,402	2,474	9,371	23,247
2015	11,428	2,511	9,396	23,335
2016	11,612	2,543	9,482	23,637
2017	11,433	2,508	9,395	23,336
2018	11,486	2,466	9,300	23,252
2019	11,110	2,363	9,023	22,496
2020	9,963	2,118	7,782	19,863
2021	10,929	2,275	8,362	21,566

■ キー局　■ 準キー局　■ その他

出典：総務省「令和3年度民間放送事業者の収支状況」

▶ 局別に見たシェアの推移

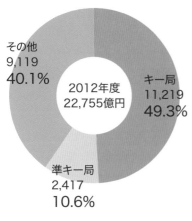

その他
9,119
40.1%

2012年度
22,755億円

キー局
11,219
49.3%

準キー局
2,417
10.6%

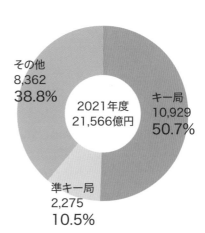

その他
8,362
38.8%

2021年度
21,566億円

キー局
10,929
50.7%

準キー局
2,275
10.5%

出典：総務省「令和3年度民間放送事業者の収支状況」

Chapter2 08

底堅い「日テレ」、苦戦の「フジ」

キー局5社の経営状況を見ると、2022年度の売上トップは2,908億円の日本テレビでした。2位のフジが2,374億円、TBSとテレ朝が2,200億円台であることから、キー局の中では日テレが頭1つ抜け出している状態です。

営業利益率12.3%の日テレ

右ページのグラフは、2016年度から2022年度におけるキー局5社の売上推移を見たものです。2022年度の売上トップは日本テレビ[*]で2,908億円、前年比96.7%でした。続いてフジテレビが2,374億円（同99.7%）、TBSテレビが2,240億円（同103.0%）、テレビ朝日が2,239億円（同99.3%）、テレビ東京が1,134億円（同102.3%）という結果になりました。

日本テレビ
正式名称は日本テレビ放送網。

トップを維持する日本テレビは売上3,000億円台をキープしてきましたが、2020年度は新型コロナ禍の影響で2,863億に売上を落としました。2022年度も3,000億円台を下回り、いまだコロナ禍前の売上には戻っていません。

また、かつて長期間にわたり業界トップを維持していたフジテレビですが、今や万年2位に甘んじています。しかもその2位の地位をテレビ朝日とTBSテレビが虎視眈々とうかがっているのがわかります。特にTBSテレビの2022年度の売上は、コロナ禍前を上回る好業績でした。テレビ東京もコロナ禍前の水準まで売上を戻しています。

営業利益
本業の儲けを指す指標。売上から原価や人件費などを差し引いたもの。

さらに各社の営業利益[*]を見ると経営状況の違いがより一層際立ちます。2022年度で見ると、日本テレビの営業利益が357億円と突出しています。また、営業利益率[*]も12.3%と非常に高い数字を叩き出しています。

営業利益率
総売上高に占める営業利益の割合。企業の経営状況を示す重要な指標の1つになる。

同社以外の営業利益と営業利益率を見ると、フジテレビが76億円（営業利益率3.2%）、テレビ朝日が39億円（同1.8%）、TBSテレビが140億円（同6.3%）、テレビ東京が75億円（同6.7%）になりました。日本テレビと比較すると、各社とも見劣りしますが、テレビ朝日の営業利益率は1%台と最も低くなっています。

▶ キー局の売上推移

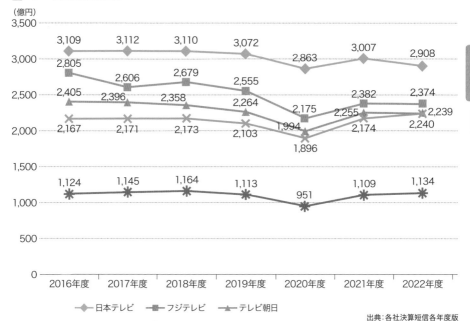

(億円)

出典:各社決算短信各年度版
※テレビ東京は2020年度より新基準の数値を用いた

- ◆ 日本テレビ
- ■ フジテレビ
- ▲ テレビ朝日
- ✕ TBSテレビ
- ✳ テレビ東京

▶ キー局の営業利益と営業利益率(2022年度)

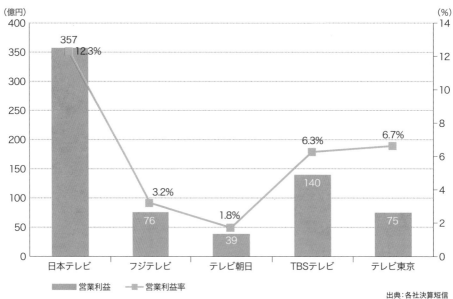

(億円)　　　　　　　　　　　　　　　　　　(%)

■ 営業利益　■ 営業利益率

出典:各社決算短信

Chapter2 09

日本の放送業界に君臨する「NHK」

日本放送協会（NHK）は、公共の福祉のため、良質の放送番組を日本全国に届けることを目的に、放送法の規定にもとづいて設立された法人です。ただ、その肥大化を懸念する声もあります。

📍 受信料収入は 6,816 億円

NHK は日本のラジオ放送が本格スタートした 1925（大正 14）年に設立された、社団法人東京放送局、同大阪放送局、同名古屋放送局がそのルーツです。その後、この 3 局が合併して社団法人日本放送協会となり、さらに 1950 年の放送法の制定にともない特殊法人日本放送協会に衣替えし、現在に至っています。

NHK は放送法で定められた受信料収入を主たる経営の財源にしています。経営にあたる経営委員は国会の承認を得て首相が任命します。また、予算や受信料の決定も国会の承認が必要です。

2023 年 3 月 31 日現在の放送受信契約件数[*]は、地上契約が 2,179 万契約、衛星契約が 2,267 万契約で、合計 4,447 万契約となりました。これに対して 2022 年度の受信料収入は 6,816 億円で、2018 年度の 7,235 億円をピークに、4 年連続の前年割れでした。

また、NHK では受信料以外にも、国際放送業務や選挙放送業務に対する国からの交付金や付帯業務による収益があり、これらを合わせた 2022 年度の経常事業収入（一般企業の売上高に相当）は 6,972 億円でした。この経常事業収入も 2018 年度の 7,372 億円をピークに 4 年連続の前年割れになりました。

とはいえこの NHK の経常事業収入は、民間放送局で最も売上高の大きい日本テレビの 2,908 億円を大幅に上回っています。要するに日本最大の放送局が NHK というわけです。

しかも NHK 本体以外に、NHK エンタープライズ、NHK グローバルメディアサービスなど、多くの有力子会社を抱えています。そのため、NHK の肥大化に対する批判が、民間放送事業者からたびたび上がっています。

放送受信契約件数
有料契約と学校や社会福祉施設などを対象とした無料契約がある。ここで示した数字は無料契約も含む。右ページグラフの数字は有料契約件数にあたる。

▶ NHKの受信料収入と受信契約件数（有料）の推移

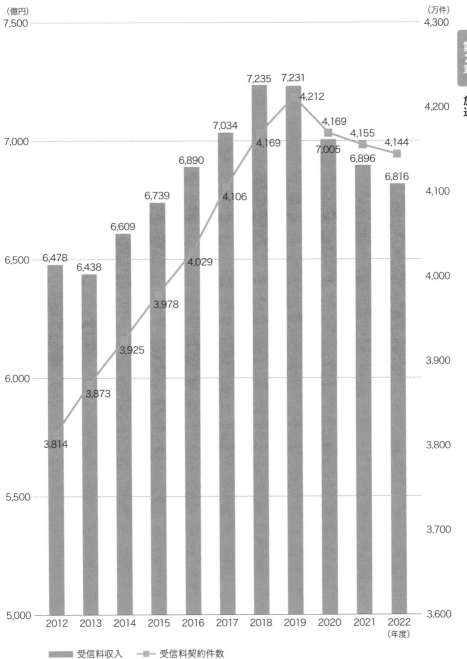

（億円）　　　　　　　　　　　　　　　　　　　　　　　　　　　　（万件）

	2012	2013	2014	2015	2016	2017	2018	2019	2020	2021	2022（年度）
受信料収入	6,478	6,438	6,609	6,739	6,890	7,034	7,235	7,231	7,005	6,896	6,816
受信料契約件数	3,814	3,873	3,925	3,978	4,029	4,106	4,169	4,212	4,169	4,155	4,144

■ 受信料収入　　■ 受信料契約件数

出典：日本放送協会「業務報告書」各年度版

Chapter2 10

テレビ放送局で働く人々の仕事内容は

テレビ放送局の職種には、大別して一般職と技術職があります。さらに一般職は制作系の職種とそれを支える職種に分類できます。従来、テレビ放送局の仕事はクリエイティブ志向の人に人気があります。

テレビ放送局の多様な職種

テレビ放送局の組織は、番組を制作する制作局や報道局、番組作りを技術的にサポートする技術局や編成局、営業や販売に携わる営業局などからなります。また近年では、デジタル化の進展により、デジタル化を推進する部署も設置されるようになってきています。

一方、職種から見ると、一般職と技術職に大別され、さらに一般職は制作系の職種とそれを支える職種に分類できます。

制作系の職種としては、ディレクターやプロデューサーなどの番組制作、記者やレポーターの報道担当、さらにはアナウンサーなどがあります。

また、制作以外の一般職としては、営業や編成、コンテンツビジネス、新規事業開発、イベント事業担当などがあります。もちろん人事や経理といったマネジメントを担当する職種もこちらに含まれます。

一方、技術職には、カメラや音声、照明、編集といった制作技術担当、デジタルシステム開発担当、送信や電波管理などの放送技術担当などがあります。

テレビ放送局の制作職及び技術職一般にいえることは、就労時間が不規則で常に忙しいということです。また、制作職の場合、人気番組の企画など、発想力やセンスが欠かせません。そのため、クリエイティブな仕事をしたい人には、いまでも人気の職種になっています。しかも、一般に給与が高いのも、民間テレビ放送局に人気が出る要因の1つになっているようです。

いまテレビ放送業界はDXの真っ只中です。デジタル情報技術に精通した人材はこの業界でもやはり欠かせません。

▶ テレビ放送局で働く主な人々

ディレクター

番組を企画し、実際に制作を行う中心的な人物。新人はそのスタッフとして一歩を踏み出す。

プロデューサー

番組制作の総合監督的役割を果たす。他部署との業務調整や番組制作以外の指揮もとる。

記者

災害や事故など社会の動きを取材する。もちろんテレビであるため映像による取材が欠かせない。

カメラマン

記者やアナウンサーと一緒に動き、災害や事故を取材し、映像として収録する。体力が不可欠。

編集

取材内容を編集する。映像データを編集しテロップなどを入れるのも編集の役割になる。

編成

番組制作を支える一職種で、番組のタイムテーブルを考えたり、どのような番組を放送すべきかを考えたりする。

Chapter2
11

テレビ放送のCMには
どんな種類があるか

民間放送事業者のテレビ広告はタイムCMとスポットCMに大別できます。
これらタイムCMとスポットCMから得られる広告収入が、民間テレビ放
送局の経営の柱です。

📍 人気はタイムCMからスポットCMへ

タイムCMとは、広告主がある決められた時簡帯の番組のスポ
ンサーとなり、その番組内で流すCMを指します。タイムCMに
は、全国エリアを対象としたネットタイム、特定エリアの一局を
対象としたローカルタイム、毎週1回提供する箱売りなど、さま
ざまなタイプがあります。

例えば、ある広告主がフジテレビ系列でネットタイムCMを流
す場合、キー局であるフジテレビからネットタイム枠を購入しま
す。すると、フジテレビをキー局とするFNN28社にCMが流れ
ます。

また、タイムCMは原則として最低30秒単位で、契約は原則
として、4月～9月または10月～3月の半年間（2クール）が
基本になります。

一方、スポットCMは、本来、番組と番組の間に流す広告のこ
とを指しましたが、現在はそれぞれのテレビ局がゾーンを決めて
販売しています。

スポットCMはステーションブレイク（SB、略称ステブレ）
とピーティー（PT）に分類できます。ステーションブレイクは、
番組と番組の間に流すスポット広告です。また、PTは、テレビ
局が独自にゾーン決めした個所で流れるスポットCMで、番組内
の広告として流れる場合もあります。

従来、番組のスポンサーになることで、番組イメージと企業イ
メージをリンクさせ、企業や商品のブランディングに生かせるタ
イムCMがテレビ広告の大部分を占めていました。しかしながら、
近年では機動的に広告を打てるスポットCMの人気がタイムCM
を上回るようになっています。

PT
Participating
commercialの略。
番組内の特定のゾー
ンに流すスポット
CMを指す。

▶ タイムCMとスポットCMのイメージ

前番組

番組	スポットCM（SB）
	本編①（オープニング）
	タイムCM
	本編②
	タイムCM・スポットCM（PT）
	本編③
	スポットCM（PT）
	本編④（エンディング）
	スポットCM（SB）

後番組

▶ タイムCM費とスポットCM費（2021年度）

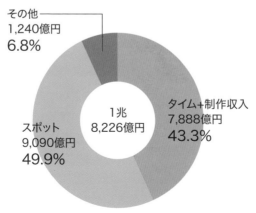

その他
1,240億円
6.8%

1兆
8,226億円

タイム＋制作収入
7,888億円
43.3%

スポット
9,090億円
49.9%

出典：電通メデイアイノベーションラボ編『情報メディア白書2023』

第2章

放送

Chapter2
12

テレビ視聴者の 高齢化が進んでいる

テレビの視聴時間がこの10年で40分近く減りました。また、10代と20代の世代では、その半数が平日にテレビを視聴しません。テレビの視聴者は高齢化が進んでいるのが現状です。

世代で大きく異なるテレビ視聴時間

総務省情報通信政策研究所が公表した「令和3年度情報通信メディアの利用時間と情報行動に関する調査報告書」(2022年8月)によると、全世代におけるテレビのリアルタイム視聴時間(平日)の平均は2021(令和3)年時点で146.0分でした(右ページグラフ上)。2012(平成24)年は184.7分でしたから約10年で40分近く視聴時間が減ったことになります。

ただし、このテレビ視聴時間は、世代によって大きな違いがあるのが特徴です。

右ページのグラフ下は、平日における主なメディアの利用時間を示したものです。

グラフからわかるように、年代が上がるにつれて、テレビのリアルタイム視聴時間が増加傾向にあります。

年代別で見ると10代では57.3分、20代では71.2分と、平均時間を半分以上下回っていることがわかります。

これに対して50代では187.7分、60代では254.6分と、平均を大きく上回る視聴時間になっています。

10代・20代の約半数が平日にテレビを見ない

また、同調査では行為者率という指標を公表しています。これは調査中に該当するメディアに接触した割合を示す値です。

同調査によると10代で56.7%、20代で51.9%が平日にテレビをリアルタイムで視聴するという結果になりました。これは裏返すと、10代〜20代の約半数は平日にリアルタイムでテレビを視聴しないことを意味します。

いまやテレビの視聴者は高齢化が進んでいる模様です。

▶ テレビのリアルタイム視聴時間の推移

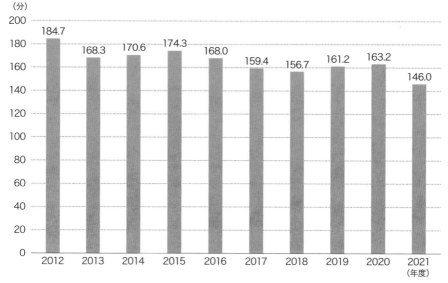

出典：総務省「令和3年度情報通信メディアの利用時間と情報行動に関する調査報告書」

▶ 主なメディアの平均利用時間

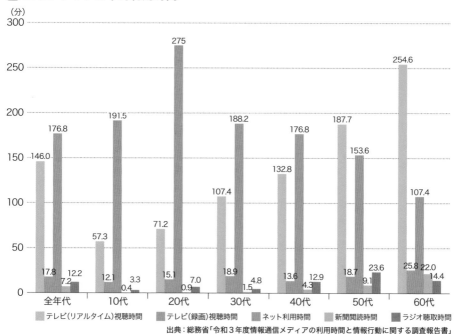

出典：総務省「令和3年度情報通信メディアの利用時間と情報行動に関する調査報告書」

Chapter2 13

視聴率に影響を及ぼす
タイムシフト視聴

視聴率とは、ある番組を放送区域内のどれだけの世帯または人が視聴したか
を示す値のことです。視聴率はテレビに用いる言葉で、ラジオには聴取率を
用います。

世帯視聴率と個人視聴率

視聴率は世帯視聴率と個人視聴率に大別できます。世帯視聴率
はある番組を視聴する世帯の割合を示すものです。一方、個人視
聴率は世帯内のメンバー（年齢は4歳以上）のうち誰がどれくら
いテレビを視聴したかを示します。

かつて視聴率といえば世帯視聴率を指すのが一般的でした。し
かしながら現在の視聴率調査では、より厳密な視聴率が把握でき
る個人視聴率が主流になっています。

スポットCM（第2章11節）の価格は、視聴率によって決ま
ります。もちろん視聴率が高いほど、そのスポット枠の値段は高
くなります。そのためテレビ局ではCM枠を少しでも高く販売す
るために、視聴率の獲得に血眼になるわけです。

タイムシフト視聴とALL（P＋C7）

この視聴率に深く関わるものにタイムシフト視聴があります。
タイムシフト視聴とは、番組の放送時間以外で視聴するスタイル
を指します。

従来の視聴率調査では、番組の放送時間に視聴するリアルタイ
ム視聴を調査対象にしていました。しかし、ハードウェアの進歩
やインターネットの進展により、放送時間以外でのタイムシフト
視聴が、特に年齢の低い層で頻繁に行われるようになりました。
中でも人気ドラマではタイムシフト視聴が好まれる傾向が強いこ
とが調査からわかっています。

このような背景から、2018年4月より、スポットCMの取引
指標が改定され、「ALL（P＋C7）」となりました。これは、「リ
アルタイム番組視聴率（P）」（前4週平均）に「放送7日以内に

ALL（P＋C7）
オール・ピー・ブラ
ス・シー・セブン。
従来はGRP（世帯
延べ視聴率）がスポ
ットCM取引の基準
になっていた。

▶ 個人視聴率の計算

世帯	人数	A局	B局	C局
A	4	2	1	
B	4			2
C	2	2		2
D	6	2	4	
E	4			
F	3	1	1	
G	4	1	2	
H	5		2	
I	4		2	
J	4			
対象者数	40	8	12	4

▼

個人全体　60%…（8人＋12人＋4人）÷40人
A局　　　20%…8人÷40人
B局　　　30%…12人÷40人
C局　　　10%…4人÷40人

再生されたCM枠視聴率（C7）を加えたものです。「P」も「C7」
も対象は個人全体です。だから「ALL」というわけです。
　これにより、例えば調査対象者が放送終了後7日以内にTver
（第2章14節）で番組の広告を視聴した場合、視聴率のポイント
として加算されることになります。

Chapter2
14

テレビ業界にDXの大波が押し寄せている

インターネット経由でテレビ番組を提供するケースが増えてきています。しかし、テレビ放送業界全体で見ると、インターネットを通じた番組配信には深刻なジレンマが存在します。

● テレビ業界がDXに二の足を踏む理由

第2章6節で見たように、東京のキー局は、在阪準キー局、中京局、ローカル局とネットワークを築いています。キー局の番組をそのまま流すと、その他の局は番組制作の費用がかかりません。また、番組に広告主がついている場合、ネットワーク傘下の局に広告営業の必要もありません。つまり番組を作らず、営業もせずに広告収入を得られるわけです。収益面を考えると、キー局の番組をそのまま放送するのが得策になります。

そのため、キー局を除いた放送局、中でもローカル局は自社制作番組の割合が非常に低くなります。全テレビ放送局のうち、自社制作番組が10％未満のテレビ局はほぼ半数です。自社制作番組が30％未満のテレビ局は全体の90.5％にもなります。

しかしながら、インターネットの進展により環境は大きく変わってきました。仮にインターネットを用いてキー局の番組を配信すると、日本全国どこでもリアルタイムで番組が見られます。これは、ローカル局の存在理由が失われ、既存のテレビ放送の体制や仕組み*が根本から崩れることを意味します。

テレビ放送業界がインターネットの大胆な活用に大きく舵を切れなかった理由の1つがここにあったといえます。

● 激変するテレビ放送体制

とはいえ、もはや進展するインターネットの流れに逆らうことはできません。

2015年10月、東京キー局5局が、インターネットを経由した無料のテレビ番組配信サービス「Tver」をスタートさせました。現在では、在阪の準キー局の番組も配信されています。

体制や仕組み
その典型が県単位に放送局を認める県域免許制度の在り方だ。インターネットによる放送番組の配信によりすでにこの制度は形骸化しているといえる。

▶ テレビ放送局の自社制作番組の割合（2022年4月）

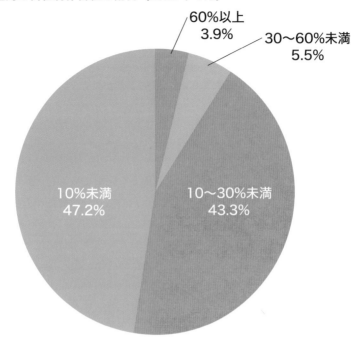

60%以上
3.9%

30〜60%未満
5.5%

10%未満
47.2%

10〜30%未満
43.3%

出典：電通メディアイノベーションラボ編『情報メディア白書2023』

　当初は放送済みの番組を配信する、いわゆる見逃し配信がサービスの中心でした。しかしながら、日本テレビではTverを通じて一部番組を無料でライブ配信する「日テレ系リアルタイム配信（旧称日テレ系ライブ配信）」を2020年10月からスタートさせました。さらに、2022年4月には在京民放キー局のすべてがリアルタイム配信のサービスを開始しています。

　また同年には、ABEMA*によるサッカーワールドカップのリアルタイム配信がありました。2023年のワールド・ベースボール・クラシック（WBC）でも、日本の全試合をAmazonプライムビデオ*がリアルタイム配信しました。スポーツの生中継もすでにインターネットを通じたライブ配信の時代に突入しています。

　テレビ放送が始まって2023年で70年が経ちました。この70年間をかけてテレビ業界が築き上げてきた体制や仕組みが、いま激変しようとしています。いずれにせよ、テレビ業界のDXは待ったなしの状況です。

日テレ系リアルタイム配信
プライムタイムの番組を中心に「TVer」にて、無料リアルタイム配信を行うサービス。

ABEMA
サイバーエージェントとテレビ朝日の共同出資で設立された動画配信サービス。ABEMA TVが運営する。

Amazonプライムビデオ
翌日無料放送サービス「Amazon プライム」（年間4,900円）に加入すると、自動的についてくる動画配信サービス。

2年連続のプラス成長となった ラジオ広告市場

ラジオ放送は、NHKによる広告のないラジオ放送と、民間ラジオ放送局による広告収入を財源としたラジオ放送があります。ラジオ広告費は1,129億円と下げ止まりの傾向にあります。

◉ ラジオ広告市場は1,129億円

地上波ラジオ放送を周波数帯別に見ると、中波放送（AM放送）、超短波放送（FM放送）、短波放送の3種類があります。

2021年度末時点における民間系AM放送事業者は47社、民間系FM事業者は388社、短波放送は1社*になっています。FM事業者が388社と突出しているのは、市町村の一部の区域を放送対象地域とするコミュニティ放送事業者が338社もあるからです。

また経営形態別に見ると、ラジオ・テレビの兼営とラジオ単営の2種類があります。ラ・テ兼営のラジオ放送局としては、TBS系列のTBSラジオ、フジテレビ系列のニッポン放送などがあります。また、ラジオ単営には文化放送（AM局）の他、多くのFM局が該当します。

民間のテレビ放送局と同様、民間のラジオ放送局の経営は、広告収入に依存しています。しかしながら、日本の広告費に占めるラジオ広告費の割合は、1.6%と小さく、しかも市場は徐々に縮小してきました。もっとも、2022年のラジオ広告費は、前年の1,106億円から1,129億円、前年比102.1%と、2年連続のプラス成長になりました。これはコロナ禍による在宅勤務で、聴きながら仕事ができるラジオの価値が見直されているのかもしれません。ラジオ広告の出稿企業では、外食・各種サービス、情報・通信、食品などが上位にランクしています。

のちに見るradiko*など、新たなラジオ視聴スタイルがラジオ広告に好影響を与えると期待されています。また、AmazonのAlexaやAppleのHomePodなどのスマートスピーカー*の普及により、音声サービスへの期待も高まっています。これらはラジオ放送の追い風になるでしょう。

1社
日経ラジオ社を指す。「ラジオNIKKEI」のブランドで経済や金融情報、競馬、音楽情報を放送している。

ラジオ・テレビの兼営
ラ・テ兼営。1社でラジオ放送とテレビ放送の双方を運営する放送事業者を指す。

radiko
インターネット経由でラジオ放送をリアルタイムで聴取できる。聴き逃しサービスにも対応している。2章17節参照。

スマートスピーカー
音声で操作するスピーカーの総称。

▶ ラジオ広告費の推移

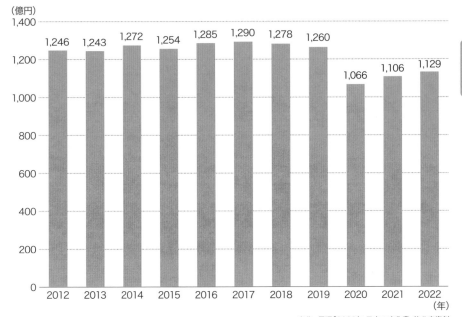

（億円）

年	広告費
2012	1,246
2013	1,243
2014	1,272
2015	1,254
2016	1,285
2017	1,290
2018	1,278
2019	1,260
2020	1,066
2021	1,106
2022	1,129

出典：電通「2022年 日本の広告費」他公表資料

▶ 業種別ラジオ広告への出稿（2022年）

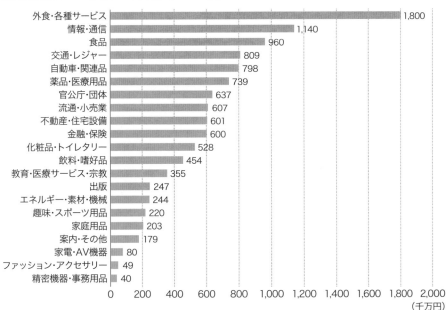

業種	千万円
外食・各種サービス	1,800
情報・通信	1,140
食品	960
交通・レジャー	809
自動車・関連品	798
薬品・医療用品	739
官公庁・団体	637
流通・小売業	607
不動産・住宅設備	601
金融・保険	600
化粧品・トイレタリー	528
飲料・嗜好品	454
教育・医療サービス・宗教	355
出版	247
エネルギー・素材・機械	244
趣味・スポーツ用品	220
家庭用品	203
案内・その他	179
家電・AV機器	80
ファッション・アクセサリー	49
精密機器・事務用品	40

（千万円）

出典：電通「2022年 日本の広告費」

Chapter2
16

4系列のラジオ放送ネットワーク

テレビ放送局ほど強固な結びつきはありませんが、ラジオ放送局にもネットワークが存在します。AM局には2系列、FM局にも2系列のネットワークがあります。

AMとFMのネットワーク

　　第2章6節で見たように、放送局がネットワークを組むのは、1つの番組を全国に放送するためです。このようなネットワーク協定を業務協定といいます。

　　業務協定では、ネットワーク・タイムを設定し、その時間帯はキー局が優先的に番組を編成するとともに、セールス方法やネットワーク配分金などについて定めます。

　　ネットワーク協定にはこれとは別にニュース協定があります。ニュース協定とは、ニュース及び報道番組の共同編成、共同制作、共同分担を取り決めたものです。このためキー局や系列局にとってネットワークは、放送エリア外のニュースを取材するための組織網としても機能するわけです。

　　テレビ放送局ほど強固な結びつきはありませんが、ラジオ放送局にもネットワークが存在します。まずAM局ですが、こちらにはJapan Radio Network（JRN／34社）とNational Radio Network（NRN／40社）があります。前者のJRNはTBSラジオが、また後者のNRNは文化放送及びニッポン放送がキー局的な立場にあります。

　　FM局のネットワークは2つあります。最も歴史が古いのが、エフエム東京やエフエム大阪などで構成する全国FM放送協議会（JFN／38社）です。

　　ジャパンエフエムリーグ（JFL／5社）は、J-WAVEやFM802など、比較的歴史の浅いFM局のネットワークです。

　　また、InterFM897、FM COCOLOなど、外国語FM放送局で構成されたメガロポリス・レディオ・ネットワーク（MEGA-NET）が存在しましたが、現在は機能していないようです。

▶ 民間ラジオのネットワーク系列

	JRN (34社)	NRN (40社)	JFN (38社)	JFL (5社)	その他
北海道	①北海道放送	①北海道放送/STVラジオ	①エフエム北海道	①FM NORTH WAVE	
青森	②青森放送	②青森放送	②エフエム青森		
岩手	③IBC岩手放送	③IBC岩手放送	③エフエム岩手		
宮城	④東北放送	④東北放送	④エフエム仙台		
秋田	⑤秋田放送	⑤秋田放送	⑤エフエム秋田		
山形	⑥山形放送	⑥山形放送	⑥エフエム山形		
福島	⑦ラジオ福島	⑦ラジオ福島	⑦エフエム福島		
東京	⑧TBSラジオ	⑨文化放送/ニッポン放送	⑨エフエム東京	⑨J-WAVE	⑧日経ラジオ社*1　⑨InterFM897*3
群馬			⑩エフエム群馬		
栃木		⑪栃木放送	⑪エフエム栃木		
茨城		⑫茨城放送			
埼玉					⑬FM NACK5
千葉					⑭ベイエフエム
神奈川					⑮RFラジオ日本　⑯横浜エフエム放送
新潟	⑯新潟放送	⑯新潟放送	⑯エフエムラジオ新潟		
長野	⑰信越放送	⑰信越放送	⑰長野エフエム放送		
山梨	⑱山梨放送	⑲山梨放送			⑲エフエム富士
静岡	⑲静岡放送	⑳静岡放送	⑳静岡エフエム放送		
富山	⑳北日本放送	㉒北日本放送	㉑富山エフエム放送		
石川	㉑北陸放送	㉓北陸放送	㉒エフエム石川		
福井	㉔福井放送	㉔福井放送	㉓福井エフエム放送		
愛知	㉕CBCラジオ	㉖東海ラジオ放送	エフエム愛知	㉕ZIP-FM	
岐阜			エフエム岐阜		㉗岐阜放送
三重			三重エフエム放送		
大阪	㉖MBSラジオ/朝日放送ラジオ	㉚MBSラジオ/朝日放送ラジオ/大阪放送	㉔エフエム大阪	㉘FM802*2	㉙FM COCOLO*2*4
滋賀			㉕エフエム滋賀		
京都		㉛京都放送			㉛エフエム京都
奈良					
兵庫			㉜兵庫エフエム放送		㉜ラジオ関西
和歌山	㉝和歌山放送	㉝和歌山放送			
鳥取	㉞山陰放送	㉞山陰放送			
島根			㉟エフエム山陰		
岡山	㊱RSK山陽放送	㊱RSK山陽放送	㊱岡山エフエム放送		
香川	㊲西日本放送	㊲西日本放送	㊲エフエム香川		
徳島	㊳四国放送	㊳四国放送	㊳エフエム徳島		
愛媛	㊴南海放送	㊴南海放送	㊴エフエム愛媛		
高知	㊵高知放送	㊵高知放送	㊵エフエム高知		
広島	㊶中国放送	㊶中国放送	㊶広島エフエム放送		
山口	㊷山口放送	㊷山口放送	㊷エフエム山口		
福岡	㊸RKB毎日放送	㊹九州朝日放送	㊹エフエム福岡	㊺CROSS FM	㊹ラブエフエム国際放送*4
佐賀			㊻エフエム佐賀		
長崎	㊼長崎放送	㊼長崎放送	㊼エフエム長崎		
熊本	㊽熊本放送	㊽熊本放送	㊽エフエム熊本		
大分	㊾大分放送	㊾大分放送	㊾エフエム大分		
宮崎	㊿宮崎放送	㊿宮崎放送	㊿エフエム宮崎		
鹿児島	51南日本放送	51南日本放送	51エフエム鹿児島		
沖縄	52琉球放送	52ラジオ沖縄	52エフエム沖縄		

▨…AM・短波局
▨…FM局

◆社名の前の数字は本社所在地。
*1　日経ラジオ社は、全国放送（短波）です。
*2　株式会社FM802は、FM802及びFM COCOLOの両局を運営。
*3　InterFM897は、JFNの特別加盟社。
*4　FM COCOLOとラブエフエム国際放送はMegaNet（メガネット）加盟局です。

出典：日本民間放送連盟ホームページ　https://j-ba.or.jp/category/data/jba103890

Chapter2 17

今後も期待が高まる radiko

radiko（ラジコ）はIPサイマルラジオ協議会が2010年から本サービスを始めました。radikoでは、同協議会に加盟するラジオ局のラジオ放送をインターネット経由で同時提供しています。

● インターネット経由でラジオを聴く

　radikoはAM放送やFM放送のラジオ番組をインターネット経由でリアルタイム配信するサービスです。アプリをインストールしたスマホなどで番組を聴けます。専用のラジオは不要です。

　20年6月は、新型コロナの影響による在宅勤務の増加からか、radikoの月間利用者数は約860万人を記録しました。その後も利用者数は増加しており、22年8月時点で、月間ユニークユーザー数は約900万人、日間平均ユニークユーザー数は約170万人になりました。また、1ユニークユーザー当たり1日平均約130分前後の聴取時間になっています。

　現在radikoでは、民放連加盟ラジオ放送局全99社に加え、放送大学、NHKラジオ第1、NHK-FMの番組を聴取できます。右に出る者がいない日本最大級のラジオ番組配信プラットフォームといってよいでしょう。

　radikoのサービスは無料です。ただしこの場合、聴取できる番組は放送エリア内のものに限られます。また、タイムフリーサービスも無料で受けられます。こちらは過去1週間以内に放送された番組を後から聴けるサービスです。

　一方、月額385円（税込）のラジコプレミアム（エリアフリー聴取）に加入すると、どの地域にいても日本全国のラジオ放送局の番組が聴き放題になります。

　このラジコプレミアムは14年4月から始まりましたが、開始3カ月で会員数10万人を達成しました。そして、2022年8月には会員数100万人を達成しています。

　スマートスピーカーの普及で音声コンテンツが見直されている現在、radikoへのさらなる期待が高まります。

エリアフリー聴取
インターネットを通じて全国の番組を同時聴取できるため、**県域免許制度**（2章7節）の意味は薄れつつある。

▶ ラジコプレミアムの会員数推移

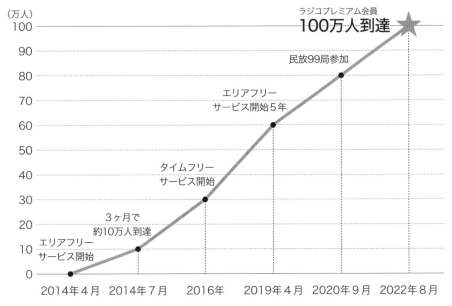

出典：radikoプレスリリース（2022年8月30日）

▶ ラジコプレミアムの会員属性（2022年）

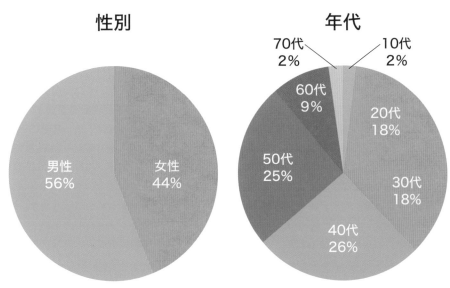

出典：radikoプレスリリース（2022年8月30日）

知っておきたいマスメディア論②
選択的接触

限定効果論を支持する選択的接触

選択的接触は、マスメディアの**限定効果論**（第1章コラム参照）を支持する理論の1つです。これは人が自分の持つ信念や好みに沿った情報に接触し、沿わない情報は回避する傾向を指します。結果、その人へのマスメディアの効果は限定的になります。

そもそも私たちは、誰しもが何らかの信念や好みを持っているものです。ところが、自分の信念に反する事実が明るみに出たり、自分の好みを否定する意見に出会ったりすると、人は精神的に不安定になります。心理学ではこのような状況を**認知的不協和**と呼んでいます。

精神的な安定を維持するにはこの認知的不協和を解消しなければなりません。例えば、「イソップ物語」の「**キツネとブドウ**」に登場するキツネは、食べたくても食べられないブドウを、「きっと酸っぱいに違いない」と決めつけました。これは食べたくても食べられないという認知的不協和を、**負け惜しみ**で解消しているわけです。

さらには、認知的不協和に陥らないよう、自分が持つ信念や好みに沿った情報に接触し、沿わない情報は回避する手もあります。つまり冒頭でふれた選択的接触です。このように人は、認知的不協和を回避するため選択的接触に陥りやすい傾向を持ちます。

このような傾向を心理学では**一貫性バイアス**あるいは**確証バイアス**と呼んでいます。

インターネットと過剰な選択的接触

選択的接触により信念や好みの一貫性が保たれます。また、その信念や好みの正当性を確証できます。この傾向が行き過ぎた人は、自分の信念や好みに反する情報に一切耳を傾けなくなります。

このような傾向はインターネットによりさらに強まっているようです。それというのも、ソーシャルメディアで自分の信念に近い人と容易にコミュニケーションがとれるからです。

第3章

新聞

新聞社の収入は、新聞の販売収入と広告収入が主力に
なっています。しかし、新聞の発行部数減に歯止めが
かかりません。部数が減ると広告媒体としての価値が
低下し、広告収入が減ります。本章では、厳しい状況
にある新聞業界のいまを解説します。

Chapter3
01

新聞は私信から生まれた

新聞の源流は、15世紀〜16世紀に発行された手書き新聞（私信）にさかの
ぼります。日本では1871（明治3）年に最初の日刊新聞が発行されました。
以来、新聞は日本のジャーナリズムを代表する1つに成長します。

新聞の歴史と機能

　15世紀のヨーロッパでは東ローマ帝国が没落し、各地で自由
主義商業経済が進展しました。商業活動は戦争や政治に左右され
ます。そのため豪商は手書きのニュースの書簡つまり私信を作成
し、得意先に配布するようになりました。その著名なものにアウ
クスブルクの豪商フッガー家が編集・発行した**フッガーツァイト
ゥンゲン***があります。新聞の源流にさかのぼると、こうした手書
きの私信に行き着きます。

　17世紀の初めには、ドイツで世界最初の週刊新聞が発刊され
ました。そして18世紀初めにはロンドンで最初の日刊紙が発刊
され、日刊新聞が広く普及していきます。

　日本では、1871（明治3）年に最初の日刊紙「横浜毎日新聞」
が刊行されました。翌年には「東京日日新聞」「日新真事誌」「郵
便報知新聞」などが次々と発刊されています。

　さらに、1874（明治7）年には「読売新聞」、1879（明治12）
年には「朝日新聞」と、現代に続く大新聞が産声を上げています。

　これらの新聞社はやがて日本の**ジャーナリズム**を代表する機関
に育っていきます。ジャーナリズムの語源は「日々の記録」であ
り、公正な立場から社会の出来事を刻々と記録し報道することを
意味します。

　新聞に第1に求められるのはこの報道機能です。加えて新聞社
独自の立場を表現する評論機能（言論機能）も欠かせません。さ
らに、大衆を啓発する教育機能も新聞は担ってきました。加えて
連載小説やスポーツ情報、娯楽情報の提供など娯楽機能も有しま
す。さらに、一般大衆に広く配布される新聞は広告媒体としても
利用されてきました。このように新聞は多様な側面を持ちます。

**フッガーツァイトゥ
ンゲン**
Fuggerzeitungen。
1568年から1605
年までのアウクスブ
ルクの豪商フッガー
家による手書きニュ
ースで、主に戦争と
政治に関する報告や
記録が掲載されてい
た。

▶ 世界の新聞発行部数（2021年）

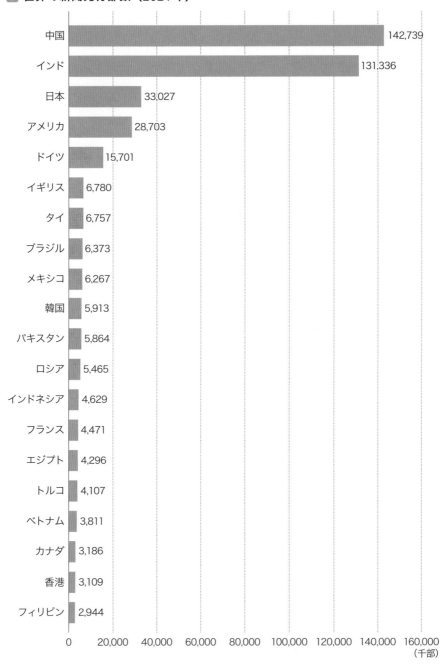

国	発行部数（千部）
中国	142,739
インド	131,336
日本	33,027
アメリカ	28,703
ドイツ	15,701
イギリス	6,780
タイ	6,757
ブラジル	6,373
メキシコ	6,267
韓国	5,913
パキスタン	5,864
ロシア	5,465
インドネシア	4,629
フランス	4,471
エジプト	4,296
トルコ	4,107
ベトナム	3,811
カナダ	3,186
香港	3,109
フィリピン	2,944

出典：日本新聞協会

Chapter3
02

垂直統合型になっている新聞業界

新聞社では取材、記事の編集を行い、自社所有の輪転機を回して印刷し、独自物流網で販売店まで配送し、販売店から配達先へと新聞を届けます。このように新聞の流通構造は、1社で川上から川下まで押さえる垂直統合型が特徴です。

強固な垂直統合でライバルと勝負する

新聞業界の大きな特徴は、大小さまざまな新聞社それぞれが垂直統合型の体制を組んで、ライバル社と競争している点です。垂直統合型とは、流通の川上から川下までを統合管理している状態を指します。

新聞流通の川上は、新聞記者によるニュースの取材です。取材内容は新聞社内で編集されて記事になります。この記事を紙面に割り当て、新聞社が独自に所有する輪転機を回して印刷します。

さらに印刷した新聞は、新聞社が所有する独自物流網で販売店に配送されます。そして、販売店の新聞配達員が配達先へと新聞を配達します。明治に産声を上げた日本の新聞は、以来長い時間をかけてこの垂直統合型の体制を強化してきました。

新聞社が垂直統合したそれぞれのパートは、いずれも自社の強みに欠かせません。販売店[*]もその1つです。新聞社は全国くまなく販売店を整備することで、より多くの顧客に新聞を届けられます。これは販売部数の増加に寄与し、結果、新聞社により多くの収益をもたらします。また販売店も新聞配達の売上のみならず、より多くの折込チラシ[*]から広告収入を得られます。

このように、垂直統合型の体制は、新聞社にとっても販売店にとってもメリットのあるビジネスモデルでした。このビジネスモデルで販売部数を飛躍的に伸ばしたのが読売新聞と朝日新聞にほかなりません。

強固な垂直統合が逆に弱点に

しかしながら、インターネットの出現により、従来のビジネスモデルは大きな曲がり角を迎えています。新聞各社はIT企業に

販売店
2001年に2万1,800店あった販売店は、2021年に1万4,200店まで減少している。

折込チラシ
新聞に折り込むチラシ広告のこと。折込チラシの配布料は販売店の大きな収益の1つだった。

▶ 新聞流通の垂直統合

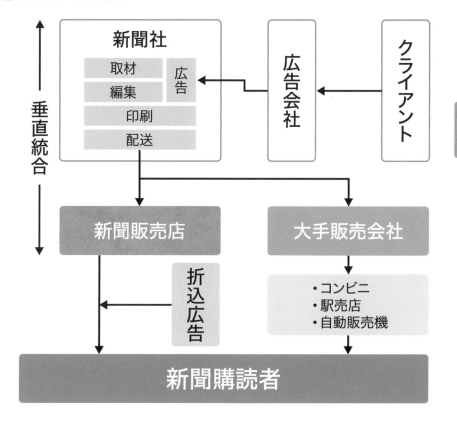

ニュースを配信し、クリック数に応じた記事提供料を収入として受け取るようになりました。

　また、電子版の新聞を創刊し、インターネットを通じた独自のルートで新聞を配信するようにもなりました。

　しかし新聞の電子化にあまり肩入れすると、営々と築き上げた垂直統合型体制を自ら破壊することになりかねません。しかも、新たなサービスの立ち上げの常で、電子版の新聞からはなかなか十分な収益が得られません。

　このように新聞社はいま、かつて成功したビジネスモデルの破壊というジレンマにさらされています。このため強固な販売店網を有する新聞社ほど、デジタル化に二の足を踏んでいるのが現在の状況だといえます。

二の足
例えば読売新聞の場合、新聞購読者だけが電子版の全サービスを受けられるようにし、電子版だけの有料提供は行っていない。

発行部数・売上がともに 急降下している

新聞の発行部数は、2005年時点で5,256万部ありました。ところが、2022年の発行部数は3,084万部です。この17年で2,172万部、率にして41.3%の新聞が蒸発したことになります。

📍 17年で約41%の新聞が蒸発

いま、日本の新聞は危機的状況にあります。発行部数の低下に歯止めがかからず、売上も前年割れが続いているからです。

新聞の発行部数は、2005年時点で5,256万部[*]ありました。以後、右肩下がりで減少し、2022年の発行部数は3,084万部と、この17年で2,172万部、率にして41.3%もの新聞が蒸発しました（右ページグラフ上）。この数字からも、新聞が危機的状況に瀕していることがわかると思います。

新聞社の収益は、新聞の販売収入と新聞に掲載した広告から得る広告収入に大別できます。発行部数が減るということは販売収入が減ることを意味します。また、新聞に接触する人が減ることも意味します。これにより新聞の媒体価値が下がります。その結果、新聞への広告掲載料も低下し、新聞社の広告収入も減ります。まさに悪循環です。

新聞社の売上推移を見ると、その悪循環の様子がよくわかります。2005年度には2兆4,188億円あった総売上高も、5年後の2010年度には2兆円割れとなり、直近の21年度は1兆4,690億円になりました。これは16年間で9,498億円、率にして39.3%の売上が消滅したことになります。その内訳を見ると、販売収入が1兆2,560億円から8,229億円（2005年度比65.5%）、広告収入が7,438億円から2,669億円（同35.9%）になりました。新聞の苦戦、中でも新聞広告の大不振がよくわかる数字です。

新聞社ではこの苦境を乗り切るため、紙の新聞からデジタルの新聞へと舵を切ろうとしています。しかし、電子版の新聞が紙の新聞の売上を一夜で代替できるわけではありません。従来型マスメディアの代表ともいえる新聞社は深刻な事態に陥っています。

5,256万部
朝刊・夕刊のセットを1部として換算している。日本新聞協会による調査。以下同様。

新聞発行部数の推移

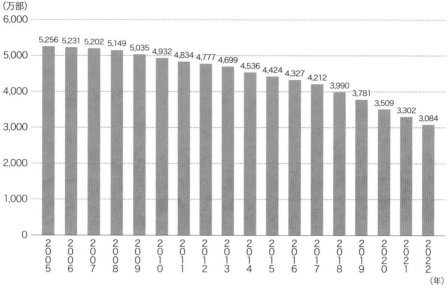

（万部）

出典：日本新聞協会

新聞社の売上推移

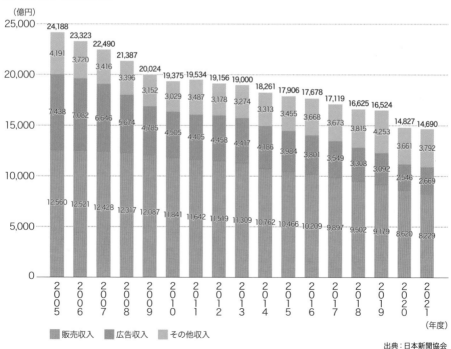

（億円）

■ 販売収入　■ 広告収入　■ その他収入

出典：日本新聞協会

Chapter3
04

下落に歯止めがかからない新聞広告費

すでにふれたように、新聞社の売上は販売収入と広告収入が主力になってきました。新聞販売部数の減少は新聞広告費の減少に直結します。実際、新聞広告費の減少に歯止めがかかりません。

減少がトレンドの新聞広告費

　広告収入は、新聞販売収入とならび、新聞社の売上を支える主力の一方です。しかしながら、第3章3節でもふれたように、新聞販売部数の減少は新聞広告費の減少に直結します。実際、新聞広告費の減少には歯止めがかからない状況です。

　電通「日本の広告費」によると、2012年に6,242億円あった紙の新聞への広告費は、以来前年割れを続け、2015年に6,000億円を、さらに2018年には5,000億円を割りました。中でも新型コロナ禍の影響で2020年は3,688億円と、4,000億円を大きく割り込み、4,547億円だった2019年比で81.1%と大幅な減少になりました。

　2022年は3,697億円、前年比96.9%で、大型イベントが広告費を下支えしたものの前年割れになりました。約10年前の2012年の6,242億円と比較すると、市場規模は59.2%に縮小しています。つまりわずか約10年で市場の40%が吹き飛んだわけです。

デジタル広告は増加傾向にあるものの

　一方で、新聞のデジタル広告費を見ると、2018年から伸びており、その傾向はコロナ禍の2020年も変わりませんでした。さらに2022年は221億円と過去最高を記録しています。またデジタルも加えた新聞総広告費は3,918億円になりました。

　しかしながら、2022年の新聞総広告費に占めるデジタル広告費の割合はわずか5.6%にしか過ぎません。これでは、紙の新聞広告費の落ち込みをカバーするのは無理です。これは新聞のデジタル化への対応がなかなかうまく進んでいないことを物語っているものだといえそうです。

新聞広告費の推移

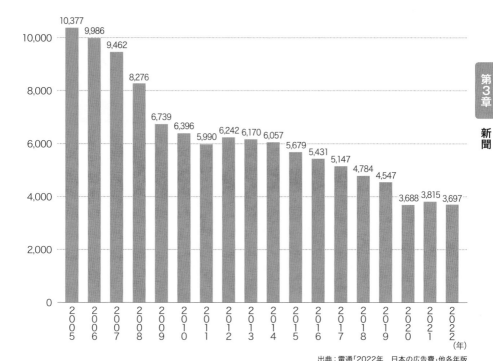

(億円)

出典：電通「2022年　日本の広告費」他各年版

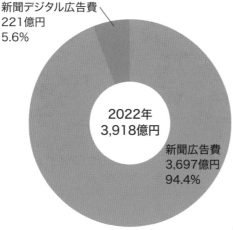 新聞広告費に占める新聞デジタル広告費の割合

新聞デジタル広告費
221億円
5.6%

2022年
3,918億円

新聞広告費
3,697億円
94.4%

出典：電通「2022年　日本の広告費」

新聞を種類別に見ると多様さがわかる

新聞には、一般紙やスポーツ紙、夕刊紙の一般的新聞と、業界紙や機関紙、広報紙などの専門・業界紙に大別できます。また一般紙には配布エリアによって全国紙やブロック紙、地方紙（県紙）に分かれています。

全国紙、ブロック紙、地方紙

新聞は一般的新聞と専門・業界紙に大別できます。まず一般的新聞を見ると、こちらには一般紙、スポーツ紙、夕刊紙があります。

一般紙は配布エリアによって全国紙、ブロック紙、地方紙に分かれています。全国紙には皆さんもよくご存知の「読売新聞」「朝日新聞」「毎日新聞」「産経新聞」「日本経済新聞」の5紙があります。このうち、「日本経済新聞」は経済紙と呼ばれることもあります。

ブロック紙は複数の県をまたいだ地域を配布エリアにする新聞です。「北海道新聞」「中日新聞」「西日本新聞」の3紙がこれにあたります。ちなみに、「東京新聞」は「中日新聞」を発行する中日新聞社が発行しています。

地方紙（県紙）*は1つの県を主な配布エリアにする新聞です。第3章12節でふれるように、全国的には馴染みの薄い県紙でも、配布エリア内では大きな影響力を有する地方紙が多数あります。

一般紙では朝刊の他に夕刊も発行しており、朝刊と夕刊のセットをセット版といいます。各社は、発行本社に近いエリアではセット版を提供し、離れた場所では朝刊（統合版）を配布してきました。しかし新聞の購読者が減る一方で、夕刊をとらず朝刊だけとる購読者も増えています。これをセット割れといいます。

スポーツ紙、夕刊紙、専門・業界紙

スポーツ紙は、スポーツ記事を中心に芸能記事やレジャー情報、大衆受けする社会記事などを扱う新聞です。スポーツ紙は一般紙の新聞社とグループ関係にあるものが多数あります。「スポーツ

地方紙（県紙）
ローカル紙とも呼ぶ。地方紙の中にはブロック紙に比肩する発行部数を持つものがある。

▶ 新聞の分類

分類		紙名
一般的新聞	全国紙	読売新聞、朝日新聞、毎日新聞、産経新聞、日本経済新聞
	ブロック紙	北海道新聞、中日新聞、西日本新聞
	地方紙（県紙）	秋田魁新報、徳島新聞、山陰中央新報、河北新報、新潟日報、京都新聞、神戸新聞、南日本新聞など多数
専門・業界紙		日刊工業新聞、日本農業新聞、日本海事新聞、日経産業新聞など

報知」は読売系、「スポーツニッポン」は毎日系、「サンケイスポーツ」は産経系、「日刊スポーツ」は朝日系となっています。

夕刊紙は仕事帰りのビジネスマンをターゲットにした新聞で、電車内でも読みやすいようにサイズはタブロイド判になっています。紙面は芸能記事や娯楽、レジャーが中心になっており、「夕刊フジ」（産経系）や「日刊ゲンダイ」などがあります。

次に一般的な新聞に対する専門・業界紙です。こちらは特定の産業分野や領域に関するニュースを提供する新聞です。老舗の専門・業界紙としては、「日刊工業新聞」や「日本農業新聞」「日本海事新聞」などがあります。

また日本経済新聞社では、本紙よりも特定の業界に特化した「日経産業新聞」や「日経MJ（旧称日経流通新聞）」「日経ヴェリタス」（投資情報）などを発行しています。

Chapter3 06

新聞社には多彩な職種がある

新聞社は垂直統合型のため組織内の職種も多様です。記事を作る編集局、紙面の印刷や新聞の輸送を担う制作局、広告受け入れの窓口になる広告局、イベントなどの事業を担う事業局、他にも人事、経理、総務部門などがあります。

◉ 新聞社の職種

　新聞社という組織を職種という観点からながめてみましょう。新聞社の使命とは報道です。その報道の中核を担っているのが編集局です。

　編集局には国際部や政治部、経済部、社会部、写真部などの取材セクションがあります。そして、それぞれのセクションに所属する記者が担当領域の取材を行います。

　また編集局には編成部という取材セクションとは少々毛色の異なる部署があります。こちらは各取材セクションから上がってきた記事の重要性を判断し、整理して紙面にします。

　全国紙の場合、東京本社や大阪本社、九州本社など、複数本社制をとり、各本社がそれぞれ紙面を作成しています。

　出来上がった紙面は制作局に回されます。制作局では社が所有する輪転機で新聞を印刷します。最新型の輪転機だと1時間に20万部もの新聞を印刷する能力を有しています。さらに、刷り上がった新聞を販売店へ輸送するのも制作局の受け持ちです。

　上記の取材や制作活動を支えるのが、収益を生み出す販売局や広告局、事業局です。販売局は販売店の開発や管理を行います。また広告局は、広告会社の媒体部と連携して、新聞に掲載する各種広告を受け入れる窓口を担います。さらに事業局は、大規模な美術展やスポーツイベントなどを実施して、販売や広告以外の収入を確保します。

　他にも人事、経理、総務部門など、新聞社も通常の企業と同様、こうした経営管理部門を当然有しています。

　さらに近年ではインターネットの進展により、新聞社のDXを担うデジタル局も設置されています。

輪転機
円筒型の版面と圧胴の間に巻き取り紙を通し、連続回転させて印刷する機械を指す。高速で大量の印刷ができる。

▶ 新聞社の構造

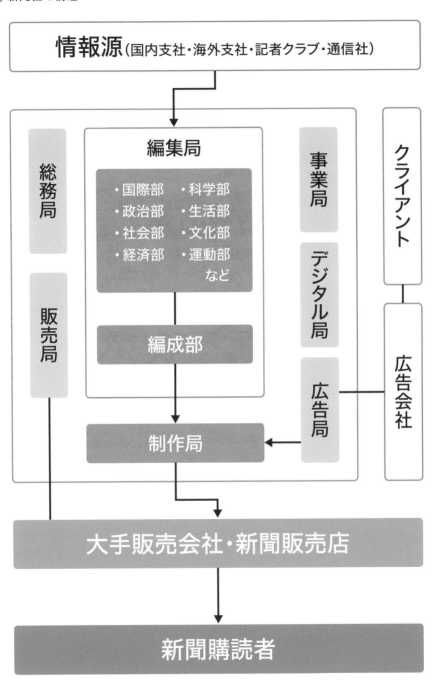

情報源（国内支社・海外支社・記者クラブ・通信社）

総務局

販売局

編集局

・国際部　・科学部
・政治部　・生活部
・社会部　・文化部
・経済部　・運動部
　　　　　　など

編成部

制作局

事業局

デジタル局

広告局

クライアント

広告会社

大手販売会社・新聞販売店

新聞購読者

Chapter3 07

新聞社で働く人は減少傾向にある

新聞社・通信社で働く人は2022年で3万5,700人でした。これはピークだった1991年の6万5,478人から見ると、半分強に激減しています。また記者だけを見ると、4人に1人が女性です。

新聞社で働く人は3万5,700人

　日本新聞協会の調査によると、新聞・通信社（第3章15節）の従業員数は2022年で3万5,700人と、ピークだった1991年の6万5,478人から約3万人減りました。

　部門別に見ると、編集部門が1万8,497人（従業員全体に占める割合52.0%）、製作・印刷・発送部門が2,385人（6.7%）、営業部門が5,425人（15.3%）、出版・事業部門が1,408人（4.0%）、電子メディア部門が1,436（4.0%）、統括・管理部門が3,143人（8.8%）、その他が3,253人（9.2%）となっています。

　部門別の推移としては、編集部門の割合が2001年の42.9%から2022年には52.0%へと拡大しています。これは、本業以外の従業員の数を絞り込んだ結果と考えられます。いわば新聞社が持つコア・コンピタンス*をより強化する動きが顕著になったのではないでしょうか。

増加する女性記者の割合

　また、記者のうち女性記者の占める割合は年々上昇傾向にあり、2022年には全記者1万6,531人のうち3,988人、割合にして24.1%が女性記者となりました。

　2001年時点の10.6%に比較すると、この20年でその割合は大きく伸びているといえるでしょう。もっとも、いまだ女性記者は4人に1人しか過ぎないと、否定的な評価もできるのですが。

　近年では新聞社からネットメディアに転職する人も目立ちます。取材から執筆までこなす記者は、ネットメディアにとって即戦力になる貴重な存在のようです。いい換えると、ネットメディアの取材力はまだまだ不十分ということなのかもしれません。

コア・コンピタンス
経営学用語の1つで、組織や人が持つ核となる強み、あるいは核となる競争力を指す。

新聞・通信社の従業員数

(人)

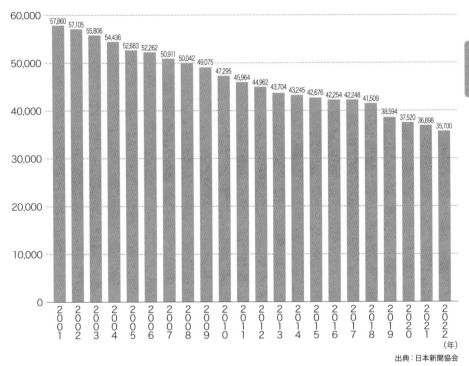

年	人数
2001	57,860
2002	57,105
2003	55,806
2004	54,436
2005	52,683
2006	52,262
2007	50,911
2008	50,042
2009	49,075
2010	47,295
2011	45,964
2012	44,962
2013	43,704
2014	43,245
2015	42,676
2016	42,254
2017	42,248
2018	41,509
2019	38,594
2020	37,520
2021	36,898
2022	35,700

出典:日本新聞協会

部門別の人数と割合

統括・管理
3,143人
8.8%

その他
3,253人
9.2%

電子メディア
1,436人
4.0%

出版・事業
1,408人
4.0%

営業
5,425人
15.3%

製作・印刷・発送
2,385人
6.7%

2022年
従業員数
35,547人

編集
18,497人
52.0%

出典:日本新聞協会

記者に占める女性の割合

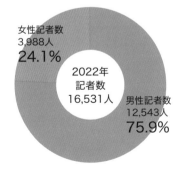

女性記者数
3,988人
24.1%

2022年
記者数
16,531人

男性記者数
12,543人
75.9%

出典:日本新聞協会

Chapter3
08

若年層の新聞離れが進んでいる

若者の新聞離れが進み、新聞読者の高齢化が進んでいます。いまや若年層のみならず、30代〜40代の多くもネットメディアからニュースを得ています。とはいえ、情報の正確さや信頼性において新聞は高い支持を得ています。

📍 読者の高齢化が進む新聞

　総務省情報通信政策研究所が公表した「令和3年度情報通信メディアの利用時間と情報行動に関する調査」（2022年8月）では、「利用しているテキスト系ニュースサービス」の実態調査を掲載しています。

　これによると、2021年の全世代において「紙の新聞を利用している」と答えた割合は39.3％でした。これは前年調査の43.7％から4.4ポイントのダウンです。

　テキスト系ニュースに接する際、最も利用されているのは、Yahoo!やGoogleなど、ポータルサイトによるニュース配信で75.5％になりました。次いでLINEなどのソーシャルメディアによるニュース配信が49.5％になっています。このようなネットメディアでニュースに接する読者が、紙の新聞からニュースを得る読者を上回っています。

　この傾向は若年層で顕著です。紙の新聞を利用している60代が76.1％、50代が52.2％となっていますが、これに対して10代は13.5％、20代は15.3％と低迷しています。新聞読者の高齢化が進んでいることがよくわかります。

　このように新聞は、特に若年層にあまり支持されていないようです。しかし、日本新聞協会の調査によると、「情報の信頼性が高いのは」との問いに対して「新聞」と回答した人の割合は45.5％と、テレビ（37.8％）、雑誌（1.8％）、ラジオ（5.3％）、インターネット（20.3％）の中で最も高い値になりました。

　また、「情報が正確であるのは」との問いにも「新聞」は47.3％でトップに立っています。新聞は、情報の正確性と信頼性の高いマスメディアとして認識されているようです。

▶ 利用しているテキスト系ニュースサービス（2021年）

	紙の新聞	新聞社の有料ニュースサイト	新聞社の無料ニュースサイト	ポータルサイトによるニュース配信	ソーシャルメディアによるニュース配信	キュレーションサービス	いずれの方法でも読んでいない
全世代	39.3%	4.2%	14.4%	75.5%	49.5%	22.9%	7.4%
10代	13.5%	2.1%	8.5%	61.0%	61.0%	17.7%	19.9%
20代	15.3%	3.3%	12.6%	66.5%	62.8%	22.8%	11.6%
30代	21.9%	3.6%	13.0%	82.2%	50.6%	21.1%	7.3%
40代	36.4%	4.9%	15.4%	84.9%	49.4%	25.3%	3.7%
50代	52.2%	4.4%	16.8%	79.1%	47.1%	23.6%	5.4%
60代	76.1%	5.4%	16.3%	68.8%	35.1%	23.9%	4.3%

出典：総務省情報通信政策研究所「令和3年度情報通信メディアの利用時間と情報行動に関する調査」（2022年8月）

▶ メディア別の印象・評価

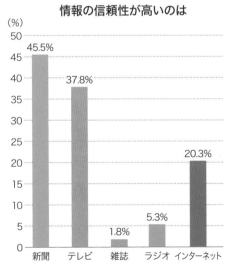

情報の信頼性が高いのは

新聞 45.5% ／ テレビ 37.8% ／ 雑誌 1.8% ／ ラジオ 5.3% ／ インターネット 20.3%

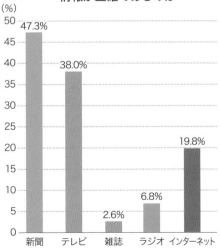

情報が正確であるのは

新聞 47.3% ／ テレビ 38.0% ／ 雑誌 2.6% ／ ラジオ 6.8% ／ インターネット 19.8%

出典：日本新聞協会「新聞オーディエンス調査」（2023年）

Chapter3
09

販売部数トップの「読売新聞」

全国紙の販売部数を見ると読売新聞社が長年トップをキープしてきました。2022年も686万部で堂々トップに立っています。2位は朝日新聞で429万部、3位は毎日新聞で193万部になっています。

何とか踏み止まろうとする読売

　右ページのグラフは、2017年からの全国紙各社の販売部数を見たものです。トップをキープしてきたのは読売新聞で、2017年には883万部の販売部数を誇りました。

　しかしながら販売部数は右肩下がりで推移しており、直近の2022年は686万部でした。2017年比で77.7％（マイナス22.3％）と大幅な減少でした。

　販売部数の減少は各社とも変わりがありません。2位の朝日新聞は2017年が625万部で、2022年には429万部（同68.7％）に減らしています。また3位を占めるのは毎日新聞で、2017年が301万部、2022年が193万部（同64.1％）となっています。

　販売部数4位は日本経済新聞で、2017年が271万部、2022年が175万部（同64.5％）でした。5位の産経新聞は2017年が155万部、2022年が102万部（同66.0％）と、100万部割れが現実味を帯びてきています。

　販売部数減少の比率のみで見ると、読売以外が2017年比で60％台なのに対して、読売のみが77.7％と、相対的に高い数字を残しています。販売部数でなんとか踏み止まろうとする読売新聞の姿が見えてきます。

　全国紙の販売部数構成についても見ておきます。2021年の全国紙5社の販売部数は1,702万部、2022年は1,585万部でした。2022年の販売部数構成は、読売新聞が43.3％（前年42.1％）、朝日新聞が27.1％（同27.9％）、毎日新聞が12.2％（同11.8％）、日経新聞が11.0％（同11.0％）、産経新聞が6.4％（同7.1％）という結果になりました。読売新聞と毎日新聞がわずかですがシェアを上げているのがわかります。

686万部
2022年1月～6月の平均。以下、各社についても2022年の数字については同様。

▶ 全国紙の販売部数

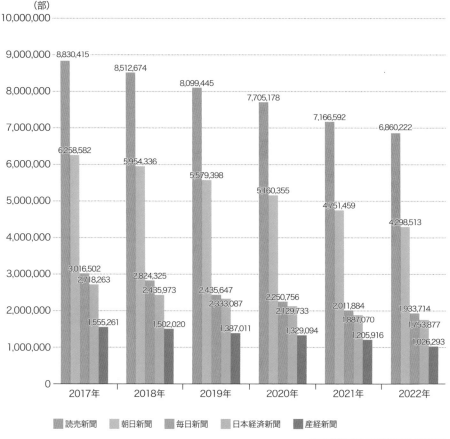

(部)

凡例: 読売新聞　朝日新聞　毎日新聞　日本経済新聞　産経新聞

出典：「情報メディア白書2023」他各年版

▶ 全国紙の販売部数構成（2021年と2022年）

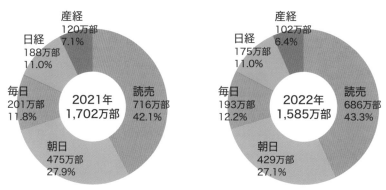

出典：「情報メディア白書2023」他各年版

Chapter3
10

「朝日」「読売」「日経」の 激しい売上争い

従来、日本の全国紙は、読売新聞社がトップの売上で、それに朝日新聞社、日本経済新聞社が続いていました。これら大手3社に産経新聞社、毎日新聞社が続きました。しかし、この順位に異変が起こっています。

📍 新聞大手3社の順位が大きく変わる

今から20年前の2003年、当時の新聞社の売上を見ると、読売新聞社が4,794億円で最も大きな売上を達成していました。これに4,061億円の朝日新聞社が続き、大きく離れて日本経済新聞社の2,237億円が続きました。以下、毎日新聞社（1,542億円）、産経新聞社（1,310億円）という結果でした。中でも読売新聞と朝日新聞は古くから日本の新聞業界のトップを目指し、激しいつばぜり合いを繰り広げてきました。

しかしながら近年、この構図が大きく変わりました。右ページのグラフは、2017年度から2022年度までの全国紙の売上推移を見たものです。まず、2017年度を見ると、トップは朝日新聞社の3,894億円、2位が読売新聞社の3,650億円と、すでにこの時点でトップが入れ替わっていました。また、2018年度を見ると2位の読売新聞社（3,560億円）と3位の日本経済新聞社（3,552億円）がほぼ肩を並べる状態になっています。

異変が起こったのは2019年度のことです。万年3位に甘んじていた日本経済新聞社が3,568億円と初めて売上トップに立ちました。2位は朝日新聞社の3,536億円、3位は読売新聞社の3,501億円と、3,500億円台に3社がひしめく熾烈な争いです。しかし、状況は2020年度に大きく変化します。

新型コロナ禍のこの年、3社とも売上を落としましたが、下落幅は日本経済新聞が最も小さい260億円で、売上は3,308億円（前年比92.7%）となりトップを維持しました。残る2社の下落幅は日本経済新聞社よりも大きく、マイナス434億円の読売新聞が3,067億円（前年比87.6%）で2位に返り咲き、マイナス599億円と巨額の売上減となった朝日新聞社が2,937億円（前年比

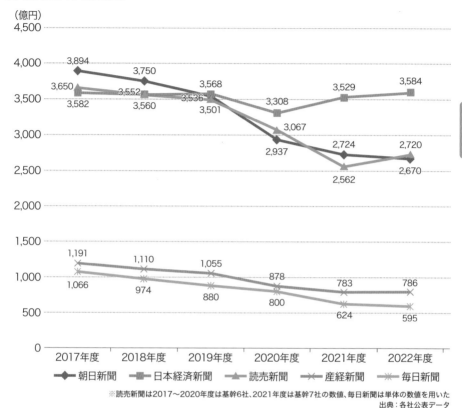

新聞社大手売上推移

(億円)

※読売新聞は2017〜2020年度は基幹6社、2021年度は基幹7社の数値、毎日新聞は単体の数値を用いた
出典：各社公表データ

83.1%）と3位に陥落しました。

日経はトップ、朝日と読売は2位争い

　さらに直近の2022年度を見ると、トップと2位の差がさらに開きました。トップは変わらず日本経済新聞で**3,584億円**（前年比101.6%）でした。2位争いは激しく、再び読売新聞が返り咲きました。売上高は前年から158億円積み増して**2,720億円**（同106.2%）でした。トップの日本経済新聞との差は864億円にも上ります。3位の朝日新聞は前年から54億円売上を落として**2,670億円**（同98.0%）でした。

　かつて、トップ争いを繰り広げた朝日新聞社と読売新聞社ですが、いまや2位争いに甘んじているのが現状です。20年前には予想できなかったことがいま現実に起こっています。

Chapter3
11

成功例といえる「日経電子版」の進展

新聞の販売部数が激減する中、新聞社のDXが喫緊の課題になっています。
ただ、各社ともDXに苦戦しているのが現状のようです。その中で日本経済
新聞の「日経電子版」は数少ない成功例になっています。

好調に推移する日経電子版

　　前節では全国紙でトップの売上を誇る日本経済新聞について見
ました。同社ではDXに力を入れており、その象徴が好調に契約
者を伸ばす日本経済新聞電子版（日経電子版）の存在です。

　　日本経済新聞社が日本における有料電子新聞の先駆けとして日
経電子版を創刊したのは2010年のことです。20年2月には有料
会員数が70万人を超え、2023年1月1日現在で82万人になりま
した。紙の日本経済新聞の講読者（朝刊／2022年12月）と電子
版有料購読者の合計は247万人になりました。

　　日経新聞電子版のメディアデータをもとに、電子版の購読者層
について見てみましょう。時期は先のデータとずれますが、
2022年1月1日現在、日経電子版登録者数は555万人となって
います。この登録者数は無料会員と有料会員に分かれていて、1
月1日現在で有料会員数は79万人*でした。電子版の購読者のう
ち60.2％が部長以上の役職となっています。また、年代では30
〜50歳代が66.6％を占めます。男女比は男性が76.7％、女性が
23.0％と圧倒的に男性優位になっています。

　　日本経済新聞社が電子版で成功した背景に、同社が強固な販売
店網を所有していなかった点が挙げられそうです。

　　デジタル化に舵を切ることは、販売店を切り捨てることを意味
しました（第3章2節）。強固な販売店網を築くことで販売部数
を伸ばしてきた読売新聞社や朝日新聞社は、DXは推進したいも
のの、容易に販売店を切り捨てることができない立場にあります。
その点で相対的に身軽だった日本経済新聞社は、大胆に電子版の
展開を実施できたといえます。読売新聞や朝日新聞は、電子版購
読者数のはっきりした数字を公表していないようです。

79万人
2023年1月1日が
82万人となり、1
年で有料会員が3万
人増えている。

▶ 日経電子版会員プロフィール

● 日経電子版会員

非登録読者	6,315万UB(参考)*1
登録会員	555万人
有料会員	79万人

＊1 日経電子版、NIKKEISTYLE、日経BizGate等の合計月間訪問者UB数(2021年10月-12月)

● 勤務先での役職

60.2% 部長以上の役員、経営者は27.2%

IT導入に関与している **41.0%**

プロジェクトを指揮している **49.6%**

新規事業の立ち上げに関与 **38.6%**

キャリアアップのため自主的に勉強 **80.0%**

● 平均貯蓄総額

2,278万円
／1,723万円(非読者)

● 平均世帯年収

906万円
／555万円(非読者)

世帯収入
1,000万円以上
32.1%
／9.6%

● 30～50歳代

66.6%

● 性別

男性 女性

76.7% **23.0%**

出典：Nikkei Marketing Portal(https://marketing.nikkei.com/media/web/audience/)

Chapter3
12

配布エリアで影響力を持つ
ブロック紙と地方紙

現在日本の一般的新聞には、全国紙とは別にブロック紙と地方紙（県紙）があります。ブロック紙や地方紙によっては、配布エリアにおいて全国紙よりも購読者が多いケースがよく見られ、地域において強い影響力を持ちます。

健闘するブロック紙・地方紙

　1941（昭和16）年、戦時下の政府は言論を統制するために、1県1紙を目指して地方紙を整理統合しました。その結果、1937年には全国で1,400紙を超えていた日刊紙が、1942年末には55紙に激減しました。実はこの1県1紙が現在の地方紙（県紙）につながっています。

　ブロック紙や県紙は、配布エリアにおいて強い影響力を持っています。例えば「中日新聞」はブロック紙ですが、販売部数は187万部と、毎日新聞を超える規模を有しています。グループの「東京新聞」（38万部）や「北陸中日新聞」（7万部）を入れると、毎日新聞よりもさらに販売部数は大きくなります。

　同じくブロック紙の「北海道新聞」（84万部）、「西日本新聞」（41万部）も健闘しています。

　閲読者率と主読紙率を見ると、地域における地方紙の健闘がよくわかります。閲読者率とは、新聞購読者だけではなく、購入せずに読んでいる読者も含めた割合を指します。例えば会社でとっている新聞を閲読するケースなどがこれにあたります。また、主読紙率とは主たる新聞として読まれている割合を指します。

　この閲読者率、主読紙率で高い割合を獲得しているのが「日本海新聞」（販売部数14万部／鳥取県）や「福井新聞」（同16万部）です。それぞれの割合は、日本海新聞が59.8%（1位）、64.4%（2位）、福井新聞が57.6%（2位）、68.3%（1位）と、両紙で1位と2位を独占しています。他にも閲読者率で3位につける「徳島新聞」（同17万部）、「山梨日日新聞」（同17万部）、主読紙率で3位につける「山陰中央新報」（同17万部／島根県）など、地方紙が販売エリアで強い影響力を持っていることがよくわかります。

ブロック紙
複数の県をまたいだ地域を配布エリアにする新聞。「北海道新聞」「中日新聞」「西日本新聞」の3紙がこれに該当する。

▶ 中日新聞他の販売部数（2022年下半期平均部数）

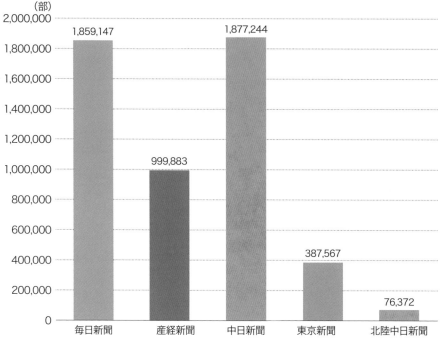

(部)

新聞	部数
毎日新聞	1,859,147
産経新聞	999,883
中日新聞	1,877,244
東京新聞	387,567
北陸中日新聞	76,372

出典：文化通信

▶ 閲読者率の高い県紙

県紙	(%)
日本海新聞	59.8
福井新聞	57.6
徳島新聞	54.1
山梨日日新聞	54.1
秋田魁新報	54.0
高知新聞	51.6
北日本新聞	49.8
信濃毎日新聞	44.1
北國新聞	44.0
南日本新聞	43.9

出典：『情報メディア白書2023』

▶ 主読紙率の高い県紙

県紙	(%)
福井新聞	68.3
日本海新聞	64.4
山陰中央新報	63.1
高知新聞	59.1
秋田魁新報	58.5
徳島新聞	57.9
北日本新聞	56.5
南日本新聞	52.3
北國新聞	51.5
信濃毎日新聞	49.2

出典：『情報メディア白書2023』

Chapter3 13

ポッドキャストでニュースを聴く

音声データの一種であるポッドキャストを活用した新聞社発のコンテンツが
いま静かなブームになっています。新聞記事は音声ニュースと親和性が高く、
通勤時間などに聴取できる点が評価されているようです。

通勤時間にニュースを聴く

ポッドキャスト
Podcast。Appleが
開発したものではな
いが、iPodで聴取で
きたため一般に普及
する原動力となった。

iTunes
Appleの音楽再生ソ
フト。iPodやiPhone
など音楽再生デバイ
スで音楽を管理する
機能も持つ。

Spotify
スウェーデンのスポ
ティファイ・テクノ
ロジーによって運営
されている、Apple
Musicと並ぶ音楽
ストリーミングサー
ビス。

Voicy
株式会社Voicy（ボ
イシー）が運営する
音声コンテンツのオ
ンラインサービス。

ポッドキャスト*とは、AppleのiTunes*や広告型音楽ストリー
ミング配信Spotify*などで再生できる音楽・映像データです。

従来、新聞社のラジオ放送や音声アプリ用のコンテンツを、ポ
ッドキャスト向けに2次利用するケースがよく見られました。近
年では、ポッドキャスト向けのオリジナル番組を積極的に提供す
る新聞社が現れています。

ラジオNIKKEIの「聴く日経」では、毎週月曜日〜金曜日の6
時頃に、日本経済新聞の朝刊から企業ニュース・経済ニュースを
中心に毎朝厳選し、ラジオNIKKEIのアナウンサーがコンパクト
かつわかりやすく伝えています。

また、2020年8月に配信を開始した「朝日新聞ポッドキャス
ト」では、AI編集長がピックアップしたニュースの他、朗読劇
やニュースを深く掘り下げた特集記事などを提供しています。

これらとはタイプが異なりますが、音声プラットフォーム
Voicy*を用いた音声ニュース配信も注目されています。こちらは、
音声のブログともいえるようなプラットフォームで、審査に通っ
た発信者が多数音声放送しています。種類は多彩で、芸能人やモ
デル、著名経営者のチャンネルなど、人気のコンテンツを揃えて
います。

このプラットフォームを利用して音声ニュースを送り出してい
る新聞社が増えています。例えば、毎日新聞は「毎日新聞ニュー
ス」を毎朝6時に届けています。2023年7月現在、6万3,000
人を超えるフォロワーを集めています。

また、神戸新聞や愛媛新聞など、地方紙による音声ニュースの
発信も見られます。

▶ 聴く日経

▶ Voicy

Chapter3
14

フェイクニュースとの闘い

2016年の米大統領選では、フェイクニュースがネット上を駆け回りました。
こうしたフェイクニュースの拡散に Google や Facebook は危機感を覚え、
対策を講じました。その1つが Google ニュースイニシアティブです。

報道業界を支援する動き

2016年に話題になった言葉の1つにフェイクニュースがあり
ます。同年に行われた米大統領選挙では、ネット上にフェイクニ
ュースが拡散し、トランプ大統領誕生の要因になったともいわれ
ています。また、トランプ大統領本人が、自分の都合の悪いニュ
ースをフェイクニュースと決めつけ、この言葉を流行らせた側面
があります。

Google や Facebook は、ネット上におけるフェイクニュースの
拡散を懸念し、撲滅のための技術供与を宣言しました。その1つ
が「Google ニュースイニシアティブ*」です。こちらは、報道業
界全体に役立つデジタルツールやリソース、さらにそれらのトレ
ーニングを新聞社や出版社、ジャーナリストに提供するサービス
です。

また Google では、報道機関を資金面からバックアップするプ
ログラムの提供も始めています。

従来 Google では、「Google ニュース」として、新聞各社が提供
する記事の見出しと写真を掲載していました。ただこのサービス
の場合、ユーザーが見出しをクリックしない限り新聞社に広告料
（記事掲載料）は支払われませんでした。また、従来の Google ニ
ュースでは、記事の提供元がわかりにくいという欠点もありまし
た。このような反省から、Google では新たな試みとして「Google
ニュースショーケース*」を始めました。

> **Google ニュースイ
> ニシアティブ**
> Google が提供する
> 報道業界を支援する
> サービス。「https://
> newsinitiative.
> withgoogle.com/
> ja-jp/」参照。

> **Google ニュースシ
> ョーケース**
> Google が質の高い
> ニュース記事に使用
> 料を支払うプログラ
> ム。

Google ニュースショーケースとは何か

Google ニュースショーケースは、Google ニュースのプログラ
ムの1つで、各新聞社が提供する質の高い記事の見出しを掲載し、

▶ Google ニュースショーケース

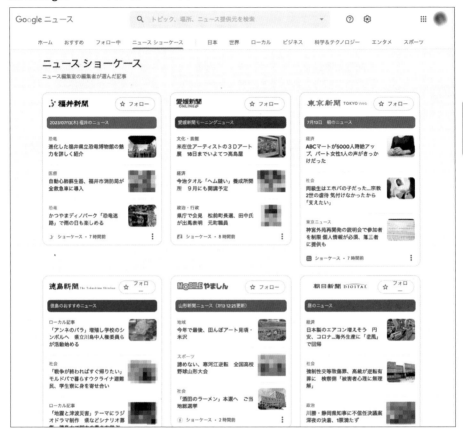

Googleが使用料を支払うというものです。記事の見出しは新聞社ごとにまとめられており、配信するニュースも新聞社が独自に設定できるようになっています。

　2023年1月現在、日本向けサービスでは新聞社66社と通信社3社の計69社が独自のニュースを提供しています。記事を配信する新聞社は、全国紙のみならず、多くの地方新聞が参加している点が大きな特徴になっています。

　フェイクニュースでネット上を荒らされれば、インターネットを主戦場としているGoogleにとっては死活問題です。同社のこのような焦りが、質の高いジャーナリズムの支援という形になったのでしょう。いずれにしろ、報道の質を維持する上で、Googleの対応は注目すべきだといえます。

Chapter3
15

新聞社にニュースを配信する

新聞社は多数ありますが、決して万能ではありません。個々の新聞社の取材能力には限界があります。特に地方紙の場合はその限界が顕著です。そこで重要になるのが、新聞社にニュースを配信する通信社の存在です。

世界の通信社・日本の通信社

通信社は自ら取材したニュースを新聞社や民間企業に配信します。新聞記事の末尾を見ると「(共同)」や「(ロイター)」と明記しているものがあります。これらはそれぞれ、通信社である「共同通信」や「ロイター通信」から記事の配信を受けたことを示しています。取材力に劣る地方紙では、特に国際ニュースに関して、通信社の配信に依存する傾向が強くなります。

各国の著名通信社としては、アメリカのトムソン・ロイター[*]、AP通信、フランス通信社(AFP)、ドイツ通信社(DPA)、タス通信社(ロシア)、新華社(中国)などがあります。

この中で通信社の歴史を考えた場合、フランス通信社に注目すべきでしょう。同社は近代的通信社のはしりであるアヴァス通信社[*]をその端緒としています。このアヴァス通信社には、ロイター通信社の創業者ユーリウス・ロイター、ドイツのヴォルフ通信社(ドイツ通信社の前身)の創業者ベルンハルト・ヴォルフが同時期に社員として働いていました。まさに同社は通信社の源流にふさわしいといえるでしょう。

一方、日本に目を向けると、共同通信社と時事通信社が通信社の2大勢力になります。共同通信社は有力新聞社とNHKでつくる非営利法人の通信社です。また、時事通信社は、個人や企業向け経済情報の配信や出版を中心にスタートした通信社です。そして、両社の歴史をさかのぼると、広告会社電通が深く関わっていますが、このことはあまり知られていないかもしれません。

日本の通信社小史

電通の前身である日本広告株式会社・電報通信社(のちの株式

トムソン・ロイター
ロイター通信の名で著名。ロンドンで生まれた企業だが、現在はカナダ資本で本社をアメリカに置く。

アヴァス通信社
1835年にシャルル・アヴァスが設立したフランスの通信社。近代通信社の源流にあたる。

▶ 共同通信の海外ネットワーク

海外総支局・通信員

● アジア

中国総局	上海支局	広州支局	香港支局	台北支局
ウランバートル支局	平壌支局	ソウル支局	バンコク支局	マニラ支局
ジャカルタ支局	ハノイ支局	プノンペン支局	シンガポール支局	ヤンゴン支局
ニューデリー支局	イスラマバード支局	カブール支局		

● オセアニア

シドニー支局

● 中東

カイロ支局	エルサレム支局	イスタンブール支局	テヘラン支局	バグダッド支局

● アフリカ

ナイロビ支局

● 北米

ワシントン支局	ニューヨーク支局	ロサンゼルス支局	ハバナ支局

● 南米

サンパウロ支局

● 欧州

ブリュッセル支局	ロンドン支局	パリ支局	ベルリン支局	ローマ支局
ジュネーブ支局	ベオグラード支局	ウィーン支局	ワルシャワ支局	モスクワ支局
ウラジオストク支局				

● 海外通信員（10カ所）

ウランバートル	カトマンズ	イスラマバード	カブール	ベイルート
サンフランシスコ	ホノルル	ブエノスアイレス	ストックホルム	ウラジオストク

出典：共同通信社

会社電報通信社）は、光永星郎*によって1901（明治34）年に設立されました。一方、海外向けに情報を発信する国際通信社が1914（大正3）年に設立され、同社は合併などを経て新聞聯合社になります。

　満州事変が勃発すると、政府の意向により、新聞聯合社と日本電報通信社（電通）の通信事業を引き継いで同盟通信社が成立し、日本電報通信社は新聞聯合社の広告代理業を引き継ぎました。さらに、太平洋戦争が終了すると、同盟通信社は自主的に解散し、社団法人共同通信社と株式会社時事通信社に分かれ現在に至っています。このように、日本の2大通信社がともに電通と関わりが深いとは、ちょっと驚きかもしれません。

光永星郎（みつなが
ほしお）
1866～1945。広
告会社電通の創業者。
熊本県出身。

知っておきたいマスメディア論③
ホテリングモデルと敵対的メディア認知

より多くの読者に
リーチするために

　国民の貴重な資源である電波を使うテレビやラジオでは、政治的に公平であることが大原則になります。これに対して新聞や出版物はその限りではありません。そのため特定の政党を支持する機関紙も存在するわけです。

　しかしながら、全国紙のような一般的な新聞の場合、社説は別として、記事の中立性、公平性を守るのが大原則になっています。これは公平で公正なジャーナリズム精神を体現する一方で、より多くの読者を獲得するための戦術にもなります。

　例えば政治信条を右派と左派に大別した場合、どちらにも属さないと答える人が大半を占めるでしょう。どちらにも属さないとは、左派でも右派でもない、どちらかというと中立の立場を意味します。

　一方で新聞は、このような層に対して中立な記事を提供すれば、右派や左派に偏った紙面にするよりも、より多くの読者を獲得できるでしょ

う。このような事情もあって新聞社としてはジャーナリズム精神のみならず、販売面を考えても、中立的な立場は欠かせません。

　ちなみに、より多くを手にするには真ん中が得であるとする考え方を、提唱者の米数理統計学者ハロルド・ホテリングにちなみ**ホテリングモデル**と呼びます。

中立的な報道を
偏っていると考える

　注意すべきは左派や右派から見ると、中立的な立場からの報道が、自分の考えとは相反する立場に偏っているように見える点です。その結果、マスメディアは偏った立場に立脚していると自分勝手に思い込んでしまい、敵対視する傾向が強まります。これを**敵対的メディア認知**といいます。

第4章

出版

出版市場は長らく規模縮小で推移してきました。とこ
ろが2019年を底に市場の風向きは少し変わってき
たようです。それは出版大手3社の売上にも表れてい
ます。その背景にあるのが出版業界のデジタル化です。
本章ではその実態を確認したいと思います。

Chapter4 01

第３次情報革命が出版社を生んだ

ドラッカーは著作『明日を支配するもの』の中で、かつて人類には４回、情報革命が起こったと述べています。その４回とは、文字の発明、書物の発明、活版印刷の発明、インターネットの発明が該当します。

４つの情報革命

ピーター・ドラッカー
Peter F. Drucker
（1909～2005）。
アメリカの経営学者。
「マネジメントを発明した男」の異名を持つ。

経営学者ピーター・ドラッカー[*]は、かつて人類に４つの情報革命が起こったと述べました。まず5,000～6,000年前にメソポタミアで起こった文字の発明、続いて紀元前1,300年頃に中国で、その800年後にギリシャで起こった書物の発明です。さらに15世紀半ばに生じたグーテンベルグによる活版印刷の発明、そして20世紀に起きたインターネットの発明が続きます。私たちは、この４番目の情報革命の真っ只中に生きています。

新たなテクノロジーの発明は、予想もしない産業や文化を生み出します。活版印刷の発明で、宗教改革が起こるなど誰が予想したでしょう。また、印刷されたテキストブックにより近代的な教育制度が生まれました。さらに、そのテキストブックを印刷して販売する会社、すなわち出版社という新たな業態が生まれます。

アルドゥス・マヌティウス
Aldus Manutius
（1450頃～1515）。
ヴェネツィアの出版人。DTPソフト「Page Maker」を開発したAldus社（のちにAdobe社が買収）の社名はアルドゥス・マヌティウスに由来する。

当時、出版人として成功した人物にアルドゥス・マヌティウス[*]がいます。彼は1,500年頃に、１つの原版から1,000部もの印刷を行い、生涯1,000タイトルの書籍を出版したといいます。現在の書籍では常識になっているノンブル（ページ番号）を初めてつけたのも、アルドゥス・マヌティウスでした。

第３の情報革命の当時、出版社が情報の複製を大量生産し、大衆に配布する役目を担いました。つまり出版社は、当代一のマスメディアとして活躍したわけです。しかしそれから500年、第４の情報革命であるインターネットの発明により、状況は大きく変わりました。

インターネットの衝撃と出版業界

インターネットの発明も、予期せぬ産業や文化を次々と生み出

▶ 新たなテクノロジーが意外な産業・文化を生み出す

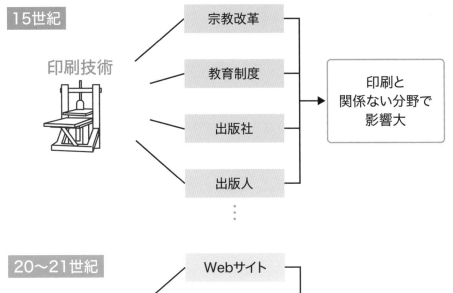

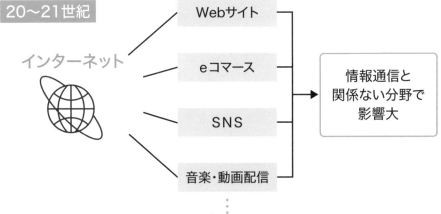

しています。Webサイトや検索サイト、音楽・動画の配信、暗号資産、SNS、そしてフェイクニュースの流布など、インターネットの発明によって生まれたこのようなサービスや出来事が埋め尽くす社会を誰が予想したでしょうか。

　これに伴い、かつてはマスメディアの雄だった出版社の置かれた立場も大きく変化しています。そして、第4の情報革命に懸命に対応しようとしているのが、現在の出版業界・雑誌業界だといえるのでしょう。

第4章

出版

水平分業が特徴の
出版・雑誌業界

出版・雑誌業界は、大きく出版社（版元）、取次店、書店・販売店の３者からなります。また、出版社の周囲には、著作者の他、編集プロダクションや翻訳会社、デザイン会社、印刷会社など多数の企業がかかわっています。

📍 音羽グループと一ツ橋グループ

現在、日本の出版業界には、大きな影響力を持つ２つのグループが存在します。１つは講談社や光文社などからなるグループで、その所在地から音羽グループと呼ばれています。もう１つは、小学館や集英社、プレジデント社などからなるグループで、やはりその所在地から一ツ橋グループと呼ばれています。

こうした大手以外に中小規模の出版社が多数存在します。現在、2,900社ある出版社のうち、従業者数が100人以上なのはわずか90社[*]にしか過ぎません。

また、このような出版社の周囲には、著作者をはじめ、編集プロダクションや翻訳会社、校閲会社、モデル事務所、デザイン会社、印刷会社など多数の関連企業が出版業務を支えています。こうした水平分業体制が出版業界の大きな特徴です。

出来上がった書籍や雑誌は書店やコンビニエンスストア、駅売店などで販売されます。しかし、書店は全国各地に多数あり、大小も含め個々の出版社が個々の書店に書籍を届けるのは非効率です。取次店はその役割を代替します。大手取次店としてはトーハンや日本出版販売（日販）があります。

書店に届いた書籍や雑誌は店頭で販売されます。その際の店頭価格は、再販売価格維持制度[*]により、出版社が指定した価格で販売されます。また書店は、委託制度[*]により、売れなかった書籍や雑誌を出版社に返却できるようになっています。

このような構造で営々と築き上げられてきたのが日本の出版業界でした。しかし、前節でもふれたように、第４の情報革命であるインターネットの発明により、いま出版業界には大波が押し寄せてきています。

90社
総務省・経済産業省「2020 年経済構造実態調査報告書 二次集計結果【乙調査編】 新聞業・出版業」による。

再販売価格維持制度
再販制度と略することも多い。企業が価格を指定して、小売店に販売価格を厳守させる制度で、書籍や雑誌の他、新聞や音楽レコード、ＣＤなども含まれている。

委託制度
委託販売制度ともいう。出版社・取次店・書店間の契約にもとづき、定められた期間内であれば書店は売れ残った書籍・雑誌を返品できる制度。

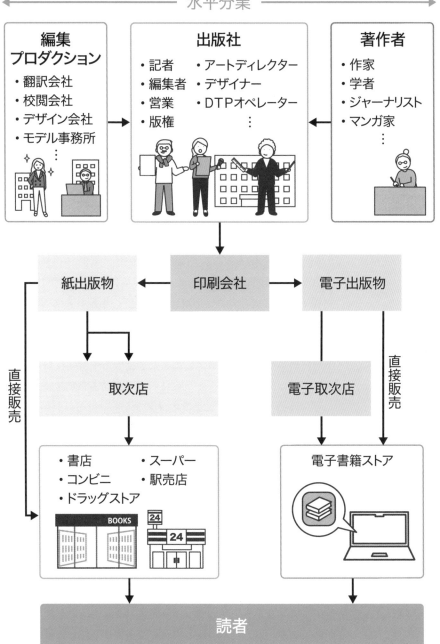

水平分業

編集プロダクション
・翻訳会社
・校閲会社
・デザイン会社
・モデル事務所
 ⋮

出版社
・記者　・アートディレクター
・編集者　・デザイナー
・営業　・DTPオペレーター
・版権　　⋮

著作者
・作家
・学者
・ジャーナリスト
・マンガ家
 ⋮

第4章 出版

紙出版物 ← 印刷会社 → 電子出版物

取次店

電子取次店

直接販売

直接販売

・書店　・スーパー
・コンビニ　・駅売店
・ドラッグストア

BOOKS　24

電子書籍ストア

読者

出版業界の市場規模推移

2022年の出版業界の市場規模は1兆6,305億円と推定されています。その内訳は、紙の出版市場が1兆1,292億円、電子出版市場が5,013億円でした。大手出版社はデジタルで売上を伸ばしています。

2022年は前年割れになった出版市場

出版科学研究所の調べによると、2022年の出版市場規模は1兆6,305億円*、前年比97.4%でした。2021年まで3年連続で前年を上回っていましたが、2022年は前年割れになりました。

媒体別に見ると、紙の出版市場は、1兆1,292億円（前年比93.5%）になりました。

その内訳を見ると、書籍が6,497億円（同95.5%）、雑誌が4,795億円（同90.9%）でした。2021年は紙の書籍が15年ぶりの増加になりましたが、2022年は再び前年割れになりました。雑誌の市場規模はなかなか下げ止まらない状況が続いています。

電子出版市場は5,013億円、前年比107.5%で、出版市場が縮小している中で規模を拡大しました。出版市場全体における電子出版市場の割合は30.7%と、全体の3分の1も目前です。

その詳細を見ると、電子コミックが4,479億円（前年比108.9%）、テキスト系電子書籍が446億円（同99.3%）、電子雑誌が88億円（同88.9%）になりました。

2020年の『鬼滅の刃』の爆発的ヒットにより、2021年は紙のコミック市場が大躍進しました。しかしそのブームも息切れし、そのため2022年の市場規模は前年割れになった模様です。その中で、電子書籍、中でも電子コミックが好調に市場を拡大しているのが特徴的です。大手出版社でもデジタルの売上を堅実に伸ばしています（第4章6節）。

また、電子書籍のサブスクリプション*ともいえるAmazonのキンドルアンリミテッドもすっかり定着しました。いまでは、紙の印刷はせず、キンドルの読み放題をターゲットにした書籍も出てきています。

1兆6,305億円
このうち紙の推定販売金額は取次ルートのみを対象にしている。近年増加している直販や直取引は含まれておらず、これらを加味すると市場規模はさらに拡大する。

サブスクリプション
定期購読や定期利用を指す。サービスに対して毎回利用料を払うのではなく、多くの場合、一定期間無制限でサービスを利用できる権利に対して料金を支払うシステムを指す。

▶ 出版市場規模推移

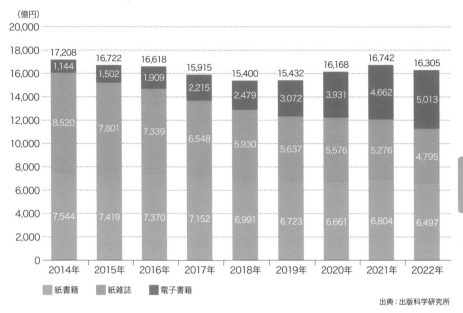

（億円）

凡例: ■ 紙書籍　■ 紙雑誌　■ 電子書籍

	2014年	2015年	2016年	2017年	2018年	2019年	2020年	2021年	2022年
合計	17,208	16,722	16,618	15,915	15,400	15,432	16,168	16,742	16,305
電子書籍	1,144	1,502	1,909	2,215	2,479	3,072	3,931	4,662	5,013
紙雑誌	8,520	7,801	7,339	6,548	5,930	5,637	5,576	5,276	4,795
紙書籍	7,544	7,419	7,370	7,152	6,991	6,723	6,661	6,804	6,497

出典：出版科学研究所

▶ 電子出版市場規模推移

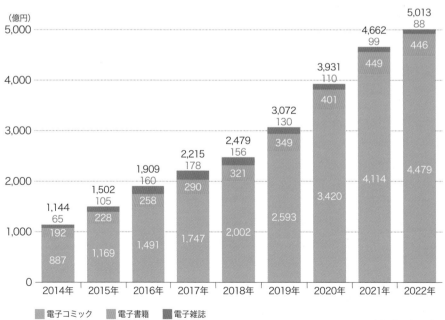

（億円）

凡例: ■ 電子コミック　■ 電子書籍　■ 電子雑誌

	2014年	2015年	2016年	2017年	2018年	2019年	2020年	2021年	2022年
合計	1,144	1,502	1,909	2,215	2,479	3,072	3,931	4,662	5,013
電子雑誌	65	105	160	178	156	130	110	99	88
電子書籍	192	228	258	290	321	349	401	449	446
電子コミック	887	1,169	1,491	1,747	2,002	2,593	3,420	4,114	4,479

出典：出版科学研究所

Chapter4
04

小規模企業が圧倒的に多い出版業界

総務省・経済産業省の調査によると、2020年の出版事業者の数は2,908社でした。そのうち従業者の規模が4人以下の事業者が1,570社で、全体の54.0%を占めています。10人未満だと2,143事業者で、全体の73.7%になります。

売上3,000万円未満が半数を占める

ここでは4つの指標から出版事業者の経営状況を見たいと思います。まず、資本金規模別で見た企業数です。

最も企業数が多いのは資本金が1,000万円以上5,000万円未満で1,913社にのぼります。続いて1,000万円未満が739社となりました。資本金がない事業者も105社あります。

次に従業者規模別の企業数を見てみましょう。最も企業数が多いのは4人以下の1,570社で、割合では全体の54.0%を占めています。さらに5人〜9人は573社で、両者を合わせると2,143社、全体の73.7%を占めます。100人以上の事業者は90社で、全体のわずか3.1%にしか過ぎません。このように、出版業界では小規模な事業者が全体の4分の3を占めています。

ただし、従業者規模別の従業者数を見ると様子は変わります。最も従業者数が多いのは100人以上の出版社で、2万4,038人もの人が働いています。従業者数の総計は5万102人ですから、100人以上の出版社で働く人は、全体の48.0%を占めていることがわかります。

また、100人以上の出版社に続くのが、10人〜29人の出版社で働く人の数で8,394人となっています。全体に占める割合は16.8%です。このサイズの出版社になると、業界では中規模として数えられるようです。

最後に、年間売上高規模別の企業数を見てみましょう。最も多いのは1,000万円以上3,000万円未満の918社です。1,000万未満の事業者も493社あり、両者を合計すると48.6%になります。100億円以上は29社だけで、これは全体のわずか1.0%にしか過ぎません。

▶ 資本金規模別企業数

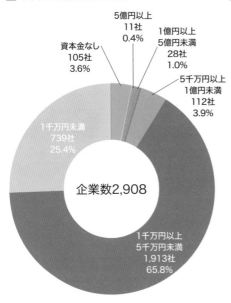

- 5億円以上 11社 0.4%
- 1億円以上5億円未満 28社 1.0%
- 資本金なし 105社 3.6%
- 5千万円以上1億円未満 112社 3.9%
- 1千万円未満 739社 25.4%
- 1千万円以上5千万円未満 1,913社 65.8%

企業数2,908

出典：総務省・経済産業省「2020年経済構造実態調査報告書 二次集計結果【乙調査編】新聞業・出版業」（令和3年7月）

▶ 従業者規模別企業数

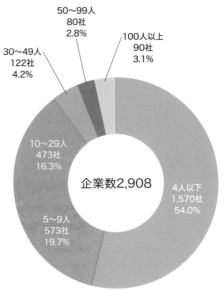

- 50～99人 80社 2.8%
- 100人以上 90社 3.1%
- 30～49人 122社 4.2%
- 10～29人 473社 16.3%
- 5～9人 573社 19.7%
- 4人以下 1,570社 54.0%

企業数2,908

出典：同

▶ 従業者規模別従業者数

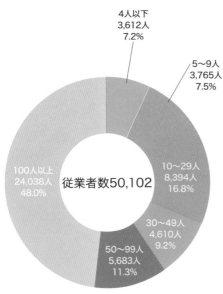

- 4人以下 3,612人 7.2%
- 5～9人 3,765人 7.5%
- 100人以上 24,038人 48.0%
- 10～29人 8,394人 16.8%
- 30～49人 4,610人 9.2%
- 50～99人 5,683人 11.3%

従業者数50,102

出典：同

▶ 年間売上高規模別企業数

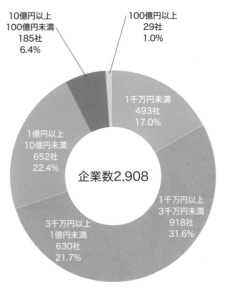

- 10億円以上100億円未満 185社 6.4%
- 100億円以上 29社 1.0%
- 1億円以上10億円未満 652社 22.4%
- 1千万円未満 493社 17.0%
- 3千万円以上1億円未満 630社 21.7%
- 1千万円以上3千万円未満 918社 31.6%

企業数2,908

出典：同

Chapter4 05

水平分業型ビジネスモデルで仕事をこなす

新聞社は取材から編集、印刷、配送、宅配まで統合した垂直統合型ビジネスモデルです。しかし同じ印刷メディアでも、書籍・雑誌を刊行する出版業界では、水平分業型ビジネスモデルが一般的です。

水平分業の出版業界

ここでは出版社が持つ部署を押さえながら、出版社の組織とそこで働く人の業務を見てみましょう。出版社には編集部や広告部、宣伝部、製作部、販売部などの主要部門があります。

書籍・雑誌の編集にあたるのが編集部です。雑誌に注目した場合、編集部が外部のデザイン会社やライター、カメラマン、スタイリストなどを個別に手配し、全体をとりまとめて記事を作成します。あるいは外部の編集プロダクションに編集業務を依頼し、プロダクションがデザイン会社やライターを取りまとめることもあります。

広告部は雑誌に掲載する広告を取り次ぐ窓口になります。ここでは広告会社の協力を得てクライアント（広告主）を集めてもらいます。従来雑誌の広告代理業では博報堂が比較的大きな力を有していました。

宣伝部は雑誌の宣伝を行う部署で、やはり広告会社を通じて、ターゲットに合致する媒体、例えば新聞や交通媒体に広告を出稿します。

製作部は本の製作を管理する部署で、印刷所や製本所に雑誌の生産を委託します。

販売部では個々の書店への営業も行いますが、雑誌の流通に関しては取次店に委託し、全国の書店へと流します。

同じ印刷メディアながら、新聞業界の垂直統合型と違って、出版業界は水平分業で成立しているのが特徴です。そのため、1社あたりの出版社の従業者数も相対的に少ないわけです（第4章4節）。これは、出版業界への就職が、出版社の他、編集プロダクションやデザイン会社など多岐にわたる背景になっています。

垂直統合型
新聞社のビジネスモデル。詳細については第3章2節を参照されたい。

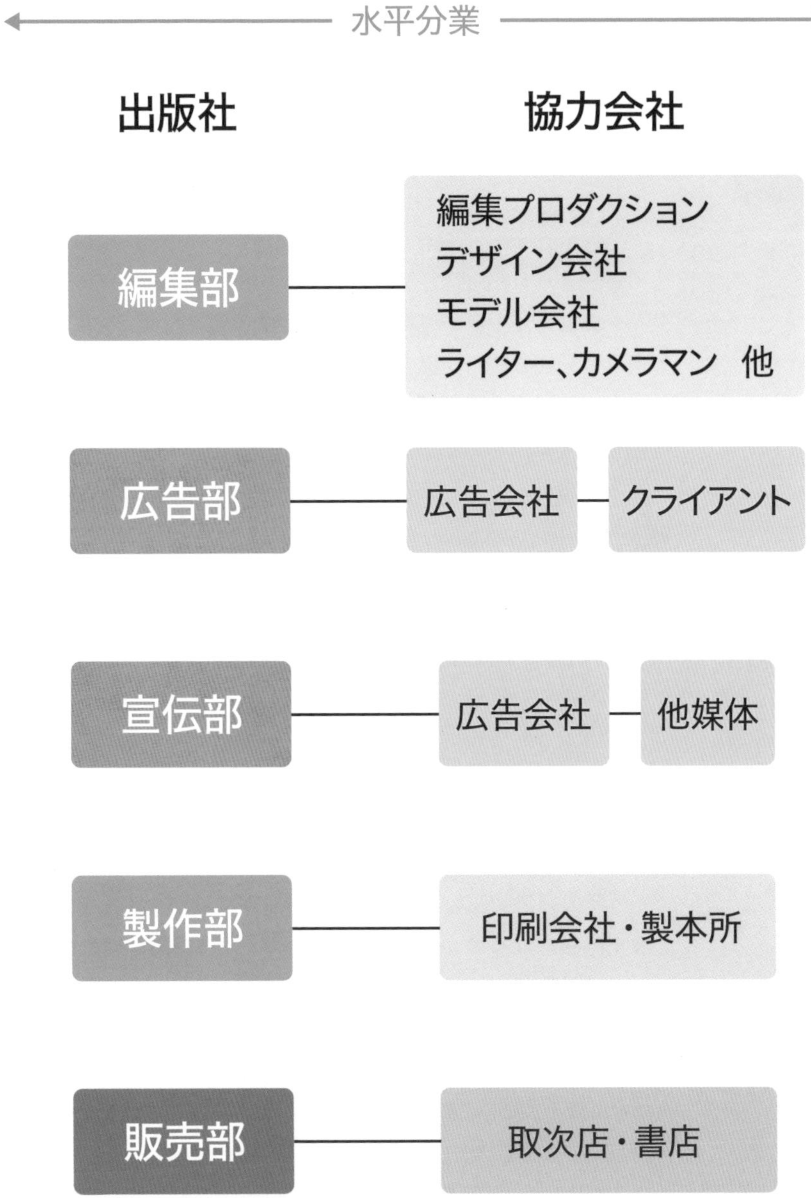

← ———————— 水平分業 ———————— →

出版社	協力会社
編集部	編集プロダクション デザイン会社 モデル会社 ライター、カメラマン　他
広告部	広告会社 ― クライアント
宣伝部	広告会社 ― 他媒体
製作部	印刷会社・製本所
販売部	取次店・書店

第4章

出版

一ツ橋グループの
「小学館」と「集英社」

第4章2節でふれたように、現在、日本の出版業界に大きな影響力を持つ出版社に一ツ橋グループと音羽グループがあります。一ツ橋グループの中核にあたる出版社が小学館と集英社です。

小学館から分かれた集英社

一ツ橋グループの中核を担う小学館と集英社は、現在、ともに東京都千代田区一ツ橋2丁目に本社を構えています。

小学館は1922（大正11）年に、共同出版社東京支社長だった相賀武夫*によって創設されました。同年「小学五年生」「小学六年生」を創刊し、学年別学習雑誌の出版社としてその名を知られるようになります。

1926（昭和元）年、相賀は小学館から娯楽出版部門を独立させ、集英社を創立しました。つまり、小学館と集英社は本来1つの会社であり、いずれの創業も相賀の手によるものだったわけです。ただ相賀は、42歳の若さでこの世を去っています。

高い人気を得た「週刊少年ジャンプ」や「週刊プレイボーイ」は、娯楽路線の集英社の顔になるような雑誌でした。ただし、のちに小学館も娯楽志向の出版を再び行うようになったため、両社はある面で競合しながら現在に至っています。

近年の経営状況を見ると、売上では集英社が小学館をはるかに凌ぐ内容になっています。2018年の1,164億円を底に、集英社では右肩上がりの売上を達成しています。

特に2021年は『鬼滅の刃』の大ブレークもあり、2,010億円の売上を達成しまた。直近の2022年は1,951億円と前年割れにはなりましたが、デジタルの収入を伸ばすなど、いまだ好調を維持しています。

これに対して小学館ですが、売上は少々見劣りする状況になっています。2016年から2021年まで、940億円台から970億円台を上下してきました。ただ、2022年はデジタルでの収入を伸ばすなどして1,057億円を達成しています。

相賀武夫
1897～1938。小学館及び集英社を創設した出版人。

▶ 小学館の売上高推移

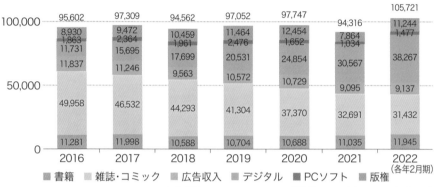

（百万円）

出典：電通メディアイノベーションラボ『情報メディア白書2023』及び公表データ

2016: 95,602 / 8,930 / 1,863 / 11,731 / 11,837 / 49,958 / 11,281
2017: 97,309 / 9,472 / 2,364 / 15,695 / 11,246 / 46,532 / 11,998
2018: 94,562 / 10,459 / 1,961 / 17,699 / 9,563 / 44,293 / 10,588
2019: 97,052 / 11,464 / 2,476 / 20,531 / 10,572 / 41,304 / 10,704
2020: 97,747 / 12,454 / 1,652 / 24,854 / 10,729 / 37,370 / 10,688
2021: 94,316 / 7,864 / 1,034 / 30,567 / 9,095 / 32,691 / 11,035
2022: 105,721 / 11,244 / 1,477 / 38,267 / 9,137 / 31,432 / 11,945

■ 書籍　■ 雑誌・コミック　■ 広告収入　■ デジタル　■ PCソフト　■ 版権

（各年2月期）

▶ 集英社の売上高推移

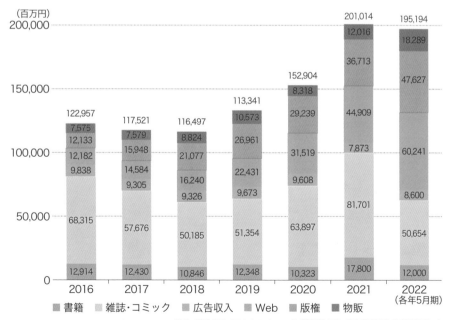

（百万円）

出典：電通メディアイノベーションラボ『情報メディア白書2023』及び公表データ

2016: 122,957 / 7,575 / 12,133 / 12,182 / 9,838 / 68,315 / 12,914
2017: 117,521 / 7,579 / 15,948 / 14,584 / 9,305 / 57,676 / 12,430
2018: 116,497 / 8,824 / 21,077 / 16,240 / 9,326 / 50,185 / 10,846
2019: 113,341 / 10,573 / 26,961 / 22,431 / 9,673 / 51,354 / 12,348
2020: 152,904 / 8,318 / 29,239 / 31,519 / 9,608 / 63,897 / 10,323
2021: 201,014 / 12,016 / 36,713 / 44,909 / 7,873 / 81,701 / 17,800
2022: 195,194 / 18,289 / 47,627 / 60,241 / 8,600 / 50,654 / 12,000

■ 書籍　■ 雑誌・コミック　■ 広告収入　■ Web　■ 版権　■ 物販

（各年5月期）

Chapter4
07

デジタル化を推進する「講談社」

講談社は2020年11月期の決算でデジタル関連収入を含む事業収入が紙の売上を上回ったと発表しました。2022年11月期はわずかに前年割れだったものの、デジタル関連の収入を着実に伸ばしています。

📍 デジタル収入の増加で復活

講談社は東京都文京区音羽に本社を置く音羽グループの中核的存在です。小学館及び集英社を含む出版大手3社の中では、最も硬派なイメージを持つのが講談社ではないでしょうか。

講談社の源流は、初代社長野間清治が1909（明治42）年に設立した大日本雄弁会です。翌年、大日本雄弁会は雑誌「雄弁」を発刊しますが、野間は1911（明治44）年に講談社を設立して、「雄弁」の他に雑誌「講談倶楽部」を発刊します。戦前から「キング」「少年倶楽部」などの人気大衆雑誌を刊行し、少年や青年に大きな影響を与えました。

現在は、「週刊少年マガジン」や「週刊現代」「FRIDAY」の人気雑誌から、文芸書、新書、学術書まで、幅広く出版活動を行っています。

講談社の経営状況を見てみましょう。一時は売上が2,000億円を超えていた同社ですが、2016年には1,172億円まで落としました。しかし、これを底に売上を伸ばし、2022年（2021年12月〜2022年11月）は1,694億円（前年比99.2％）まで戻しています。2016年比で見ると1.4倍の売上に拡大しています。

飛躍の原動力となったのがデジタル関連の売上の拡大です。この点について、同社の売上構成を見てみましょう（右ページグラフ下）。

グラフの「製品」とあるのが紙の書籍や雑誌などを示しています。「製品」の占める割合は2020年の43.8％から、2022年は33.8％に減少しています。これに対してデジタルは37.5％から59.1％に拡大しています。ただし、2022年のデジタルには国内版権と海外版権が含まれている点に注意してください。

野間清治
1878〜1938。講談社の創業者。のちに報知社（報知新聞の前身）を買収して社長に就任している。

2022年のデジタル
同社ではこの項目を「事業収入」と呼んでいる。

▶ 講談社の売上推移

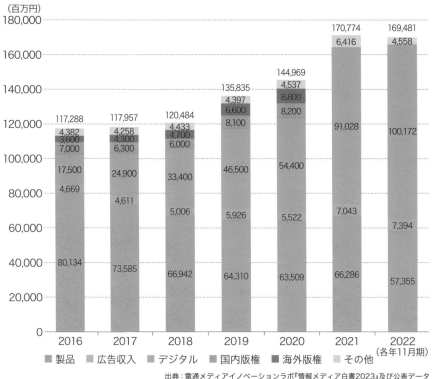

（百万円）

凡例：■ 製品　■ 広告収入　▨ デジタル　▨ 国内版権　■ 海外版権　▨ その他

年	製品	広告収入	デジタル	国内版権	海外版権	その他	合計
2016	80,134	4,669	17,500	7,000	3,600	4,382	117,288
2017	73,585	4,611	24,900	6,300	4,300	4,258	117,957
2018	66,942	5,006	33,400	6,000	4,700	4,433	120,484
2019	64,310	5,926	46,500	8,100	6,600	4,397	135,835
2020	63,509	5,522	54,400	8,200	8,800	4,537	144,969
2021	66,286	7,043	91,028			6,416	170,774
2022	57,355	7,394	100,172			4,558	169,481

2022（各年11月期）

出典：電通メディアイノベーションラボ『情報メディア白書2023』及び公表データ

▶ 講談社の売上構成（2020年11月期、2022年11月期）

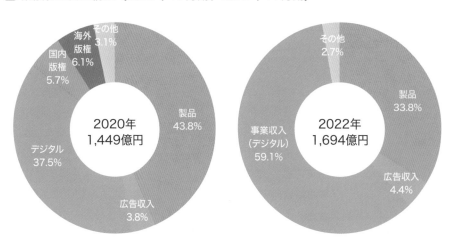

2020年
1,449億円
- 製品 43.8%
- 広告収入 3.8%
- デジタル 37.5%
- 国内版権 5.7%
- 海外版権 6.1%
- その他 3.1%

2022年
1,694億円
- 製品 33.8%
- 広告収入 4.4%
- 事業収入（デジタル） 59.1%
- その他 2.7%

出典：電通メディアイノベーションラボ『情報メディア白書2022』及び公表データ

Chapter4 08

さらなる市場拡大が予想される 電子書籍

電子書籍市場が好調に拡大しています。2021年度の電子書籍の市場規模は5,510億円と推定されます。今後も市場規模は右肩上がりで拡大し、2026年度には8,000億円を超えると予想されています。

● 電子書籍市場は2026年度に8,048億円

インプレス総合研究所の調査によると、2021年度の電子書籍市場は、電子雑誌、電子文字もの、電子コミックを合わせた総額で5,510億円になりました。前年比で見ると114.3%と高い成長率を達成しています。また、同研究所では今後の予測もしており、2026年度の市場規模は8,048億円になると推定しています。この予想値は、2021年度実績の約1.5倍の規模です。

電子書籍市場を牽引するのが電子コミックです。2020年度の売上構成を見ると、全体の4,821億円のうち、コミックが4,002億円で83.0%、文字もの等が556億円で11.5%、雑誌は263億円で5.5%でした。

これに対して市場規模が5,510億円に拡大した2021年度では、コミックが4,660億円と大きく市場を拡大し、全体に占める割合も84.6%に上昇しています。文字もの等も597億円に市場を拡大しましたが、構成比は10.8%と前年よりも小さくなりました。雑誌は253億円で市場は縮小し、構成比は4.6%になりました。

この数字を見る限り、電子書籍市場ではコミックが圧倒的な力を持っていることがわかります。出版大手3社はいずれもデジタル分野で業績を伸ばしていますが、それには電子コミックが大きく貢献しているものと考えられます。

出版科学研究所の調査によると、出版市場全体における電子出版市場の割合は30.7%と3分の1も目前です（第4章3節）。電子書籍には、一度作ってしまえば在庫の心配も増刷の必要もありません。このメリットは出版社にとって非常に大きいでしょう。今後は電子コミック以外の分野でも電子出版市場がさらに拡大するのではないでしょうか。

5,510億円
インプレス総合研究所の推計は、出版科学研究所の推計（第4章3節）よりも高いものになっている。ただし両者の統計には、期間に「年（1月〜12月）」と「年度（4月〜翌年3月）の違いがある。

▶ 電子書籍の市場規模推移予測

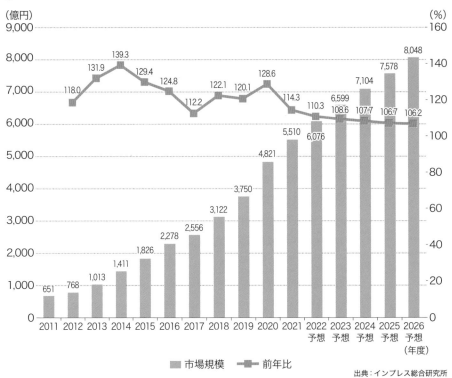

(億円) / (%)

市場規模: 2011: 651、2012: 768、2013: 1,013、2014: 1,411、2015: 1,826、2016: 2,278、2017: 2,556、2018: 3,122、2019: 3,750、2020: 4,821、2021: 5,510、2022予想: 6,076、2023予想: 6,599、2024予想: 7,104、2025予想: 7,578、2026予想: 8,048

前年比: 2012: 118.0、2013: 131.9、2014: 139.3、2015: 129.4、2016: 124.8、2017: 112.2、2018: 122.1、2019: 120.1、2020: 128.6、2021: 114.3、2022予想: 110.3、2023予想: 108.6、2024予想: 107.7、2025予想: 106.7、2026予想: 106.2

■ 市場規模　—■— 前年比

出典：インプレス総合研究所

▶ 電子書籍市場の構成（2020年度、2021年度）

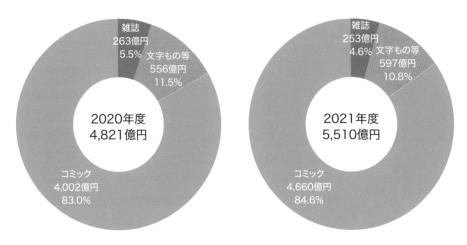

2020年度 4,821億円
- 雑誌 263億円 5.5%
- 文字もの等 556億円 11.5%
- コミック 4,002億円 83.0%

2021年度 5,510億円
- 雑誌 253億円 4.6%
- 文字もの等 597億円 10.8%
- コミック 4,660億円 84.6%

出典：インプレス総合研究所

Chapter4
09

下げ止まらない雑誌市場規模

雑誌市場がピークに達したのは1997年のことで、**市場規模は1兆5,644億円**ありました。しかしその後は前年割れが続き、2011年には1兆円を割り込んでいます。2021年の販売額は5,276億円でした。

市場規模は1997年比で3分の1に

　右ページのグラフ上は雑誌の販売金額を1990年から見たものです。90年代前半は右肩上がりで拡大が続いた雑誌市場がピークに達したのは1997年のことです。この年の市場規模は1兆5,644億円ありました。しかし、その後は前年割れが続き、市場は急速に縮小していきます。2011年には1兆円を割り込んで9,844億円になりました。

　その後も下げ止まる気配は一向になく、直近の2021年を見ると販売額は5,276億円まで縮小しています。これはピーク時の1997年に比較すると33.7%で、ほぼ四半世紀で3分の2、額にして1兆円以上の販売額が蒸発したことになります。これは雑誌業界にとってゆゆしき状況だといわざるを得ません。

週刊誌は1997年比で20.9%に

　また、右ページグラフ下は、1997年と2021年の雑誌市場を、雑誌の種別で比較したものです。1997年は週刊誌が3,945億円（全体に占める割合25.2%）、ムック[＊]が1,355億円（同8.7%）、コミックが2,049億円（13.1%）、月刊定期誌が8,295億円（同53.0%）でした。

　これに対して2021年は週刊誌が825億円（同15.6%）、ムックが537億円（同10.2%）、コミックが1,849億円（同35.0%）、月刊定期誌が2,065億円（同39.1%）となりました。1997年比で見ると、週刊誌が20.9%と最も縮小率が高く、以下、月刊定期誌が24.9%、ムックが39.6%、コミックが90.2%です。

　こうして見ると、週刊誌と月刊誌の販売金額の大幅な減少が市場縮小の最大要因になっていることがわかります。

ムック
雑誌のような作りをした単行本を指す。マガジン（magazine）とブック（book）をかけてムック（mook）という。

雑誌の販売金額推移

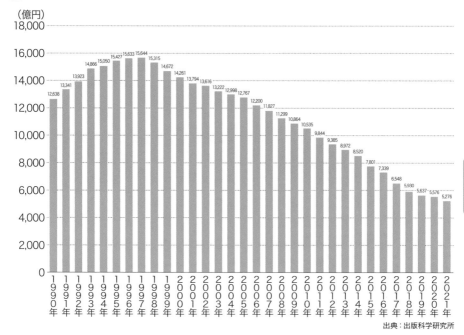

（億円）

出典：出版科学研究所

雑誌市場比較（1997年、2021年）

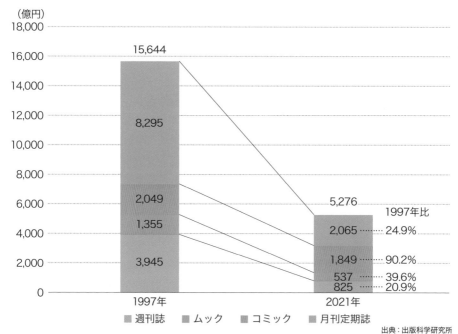

（億円）

■ 週刊誌　■ ムック　■ コミック　■ 月刊定期誌

出典：出版科学研究所

Chapter4
10

雑誌広告費は
10年前の半分に減少

出版社が雑誌から得る収入は、販売収入と広告収入に大別できます。販売収入については前節でふれたので、ここでは雑誌広告費の推移と雑誌広告の特徴についてふれたいと思います。

雑誌広告費の長期推移

まず、雑誌広告費の長期推移を確認します。グラフに示したように、2005年に4,842億円の市場規模だった雑誌広告費は年々縮小の道をたどり、2011年から2015年は2,400億〜2,500億台を維持したものの、その後は再び急速な下降に転じます。2022年の市場規模は1,140億円と10年前の44.7％にしか過ぎません。

現在出版されている雑誌は約3,000誌にも及び、その多くは細分化された明確なテーマのもとに編集されています。

例えば女性誌のライフデザインに分類される女性ティーンズ誌を見ると、さらにガールズ誌、ローティーン誌、ティーンズ総合誌、エンタテイメント情報誌に分類されます。そして、それぞれの読者像は非常に明確です。そのため雑誌広告には、明確なターゲットに向けて広告を出稿できるという、広告主にとって大きなメリットがありました（右ページのONE POINT参照）。

また、雑誌の誌面サイズは比較的大きく、鮮明なカラーでの表現が可能です。このようなビジュアル面からの訴求に加えて、文字情報で詳しい商品情報などを表現できます。さらに、雑誌が持つブランドイメージを借りて、広告主は自社のブランドや商品をアピールできるというメリットもあります。

しかしながら雑誌広告が持っていたこのようなメリットは、いずれもWebサイトで代替が効くようになりました。ここに雑誌広告市場の規模縮小が劇的に進んだ理由があります。

ただし、特定の有力雑誌が長年培ってきたブランドイメージは、Webサイトではなかなか代替しきれない部分があります。固定ファンをガッチリつかんでいる雑誌の場合、広告媒体としての価値はなかなか失われないでしょう。

▶ 雑誌広告費の推移と前年比

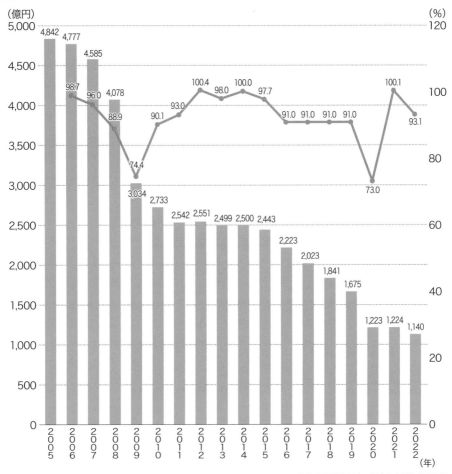

出典：電通「2022年　日本の広告費」他各年版

👍 ONE POINT

クラスメディアとしての雑誌

クラスメディアとは、特定のライフスタイルや趣味を持つ集団が利用するメディアを指します。その代表が雑誌でした。例えば腕時計にフォーカスする、高感度なインテリアをテーマにするなどです。広告主も雑誌を活用することでターゲットを絞り込んで広告を投入できました。しかしながら、インターネットのWebサイトのクラスメディア化は雑誌以上に容易です。この点は雑誌凋落の大きな要因になったと考えられます。

Chapter4
11

コアなターゲットに
アピールする雑誌

前節でふれたように、固定ファンをがっちりつかんでいる雑誌は読者層が明確で、広告媒体としても価値があります。ここではそのような雑誌のいくつかについて紹介しましょう。

雑誌の部数調査

雑誌の部数を測る指標には、公称部数、印刷証明付部数、ABC部数の3種類があります。

公称部数は出版社が独自で公表する部数です。また、印刷証明付部数*は、日本雑誌協会が加盟出版社の雑誌について公表している、雑誌1号あたりの平均印刷数です。さらに、ABC部数は、日本ABC協会*が第三者の立場で公表している実売部数です。数字は公称部数、印刷証明付部数、ABC部数の順で小さくなるのが一般的です。

印刷証明付部数についてはWebで検索できるようになっており、誰でもアクセスできます。これを用いて、人気雑誌とその部数について紹介しましょう。

50万部近くを売る驚きの雑誌

「ハルメク」という雑誌をご存知でしょうか。こちらは女性シニア層をターゲットにした雑誌で、お金や健康など50代女性の悩み事を解決する内容になっています。書店では買えず、毎月自宅へのお届けとなります。印刷証明付部数は48万4,333部*となっています。大きなハードルである50万部を超えるのは少年ジャンプの125万部程度なので、驚きの出版部数といえます。

総合月刊誌では文藝春秋が発行する「文藝春秋」が37万部と根強い人気を誇ります。50代以上が読者の78%を占め、インテリ層が多いといわれています。一般週刊誌でも文藝春秋は強く、「週刊文春」は46万部を発行しています。

一般週刊誌は他にも、講談社の「週刊現代」（33万部）、小学館の「週刊ポスト」（29万部）、新潮社の「週刊新潮」（28万部）

印刷証明付部数
日本雑誌協会のWebサイト「https://www.j-magazine.or.jp/user/printed2」で確認できる。

日本ABC協会
新聞や雑誌、フリーペーパーなどの部数報告を調査し、その結果を公表する活動を行う業界団体。

48万4,333部
算定期間が2023年1月〜3月の平均部数。以下同様。

▶ 著名雑誌の出版部数

	雑誌名	出版社名	印刷証明付部数
総合月刊誌	Wedge	ウェッジ	104,256
	中央公論	中央公論新社	17,500
	潮	潮出版社	86,933
	文藝春秋	文藝春秋	373,667
女性週刊誌	週刊女性	主婦と生活	130,636
	女性セブン	小学館	296,300
	女性自身	光文社	257,236
女性シニア誌	ハルメク	ハルメク	484,333
	ゆうゆう	主婦の友社	46,250
	毎日が発見	KADOKAWA	70,000

● マガジンハウス

ジャンル	雑誌名	印刷証明付部数
男性ヤング誌	POPEYE	76,500
男性ヤングアダルト誌	BRUTUS	60,400
	Casa BRUTUS	75,000
	Tarzan	108,417
女性ヤングアダルト誌	&Premium	78,667
	anan	151,577
	GINZA	39,667
	Hanako	72,000
女性ミドルエイジ誌	ku:nel	75,500
	クロワッサン	119,750

2023年1月〜2023年3月の3ヶ月毎の平均印刷部数
出典:日本雑誌協会

と健闘しています。ただ、朝日新聞出版の「週刊朝日」は販売部数の伸び悩みから、2023年6月9日号を最後に発刊から100年の歴史を閉じました。

　次に女性誌を見ると、小学館の「女性セブン」が29万部、光文社の「女性自身」が25万部、主婦と生活社の「週刊女性」が13万部となっています。

　最後にコアなターゲットに多様な雑誌を投入しているマガジンハウスについてふれておきましょう。同社では肉体作りにテーマを絞り込んだ「Tarzan」(10万部)や建築・デザイン・アートをハイセンスに紹介する「Casa BRUTUS」(7.5万部)など、特色ある雑誌づくりが特徴です。同社には20万部を超える雑誌こそありませんが、固定ファンがついているため、広告媒体として価値があります。

Chapter4
12

デジタルマンガが進展している

マンガの読み方が大きく変わってきました。雑誌で読むマンガから、いまや
スマホで読むマンガになってきています。新興企業が新サービスを提供する
一方で、古参の出版社も独自のサービスを展開しています。

市場を牽引するマンガアプリ

デジタル配信された電子マンガを電子コミックとも呼びます。
電子コミックはガラケー*時代にすでに配信が始まっていましたが、
もちろん現在はスマートフォンが主戦場になっています。

インプレス総合研究所によると、2021年度の電子コミック市
場は4,660億円となりました。前年は4,002億円でしたから、前
年比116.4%と高い伸びを維持しています。

市場を牽引しているのがマンガアプリです。マンガアプリとは
インターネットで配信されているマンガを読むための専用アプリ
です。Webブラウザーでも閲覧できるので、このようなサイト
をWebコミック配信サイトとも呼んでいます。

マンガアプリは、IT企業がサービスを提供する総合系と出版社
が提供する出版社系の2系統に大別できます。また、数は多くあ
りませんがオリジナルマンガを提供するオリジナル系*もあります。

総合系で人気を博しているのが「LINEマンガ」です。同サー
ビスでは、オリジナルマンガを多数配信しており、曜日ごとの連
載タイトルの更新や無料のタイトルも提供しています。投稿も積
極的に受け付けており、インディーズ作品として提供しています。
また、カカオピッコマが運営する「ピッコマ」も人気のマンガア
プリで、韓国系のオリジナルマンガが人気です。

新興企業が目立つ市場にあって、古参の出版社も巻き返しを狙
っています。「少年ジャンプ＋」「ヤンジャン！」（集英社）、「マガ
ポケ」「コミックDAYS」（講談社）、「サンデーうぇぶり」「マン
ガワン」（小学館）と、出版大手3社もデジタルマンガに注力し
ており、売上増に生かしています。

ガラケー
ガラパゴスケータイ
の略。日本で独自に
発展した、スマート
フォン以前の携帯電
話を指す。

オリジナル系
その代表に、利用者が
投稿したマンガを無
料で読める「Comico」
がある。公式作品に
なると、作者に原稿
料が支払われる。

▶ 電子コミック市場の推移

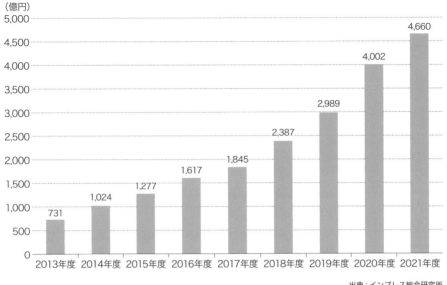

(億円)

年度	金額
2013年度	731
2014年度	1,024
2015年度	1,277
2016年度	1,617
2017年度	1,845
2018年度	2,387
2019年度	2,989
2020年度	4,002
2021年度	4,660

出典：インプレス総合研究所

▶ 人気のマンガアプリ

● LINEマンガ

● 少年ジャンプ＋

Chapter4 13

デジタル雑誌
読み放題サービスの定着

デジタル雑誌の読み放題サービスはすでに定着しました。スマートフォンや
タブレットで閲覧できるのが人気です。NTTドコモが提供するdマガジン
の他、Amazonのキンドルアンリミテッドでも購読できます。

雑誌読み放題の2強

　デジタル雑誌の読み放題サービスでは、NTTドコモが提供する
「dマガジン」と、楽天が提供する「楽天マガジン」が2強の地
位を築いています。

　NTTドコモのdマガジンは1,200誌以上の雑誌が月額440円
（税込）で読み放題になります。2014年からサービスを提供し、
2年目の2016年には会員数が早くも300万人を突破しました。

　dマガジンはスマホ、タブレット、パソコンで購読できるマル
チデバイス対応です。複数のデバイスの同時使用もできます。通
勤時にはスマホ、在宅時にはタブレットというように、利用シー
ンによってデバイスを変更できます。

　このdマガジンのライバルと目されるのが、楽天の楽天マガジ
ンです。

　楽天マガジンで購読できる雑誌はdマガジン同様1,200誌以上
です。料金についてはdマガジンを意識してか、月額418円（税
込）とより廉価な設定になっています。

　年額プランもあり、こちらは3,960円（税込）です。月換算で
驚異の330円（税込）という値段で、月に1冊以上雑誌を読むだ
けで紙より得になります。さらに楽天ポイントで支払えば実質0
円で利用が可能になります。

　dマガジン、楽天マガジン以外でもう1つ注目したいのは
Amazonが展開するキンドルアンリミテッドです。こちらは月額
980円（税込）で書籍やマンガが読み放題になるサービスです。
読み放題の中には雑誌も入っており、雑誌だけでなく書籍やマン
ガも読みたいという場合、キンドルアンリミテッドの利用がお得
かもしれません。

デジタル雑誌読み放題のユニークユーザー数

雑誌名	発行社	カテゴリー	ユニークユーザー数（UU）
Oggi	小学館	女性ヤングアダルト誌	269,141
GoodsPress	徳間書店	モノ・トレンド情報誌	251,420
BAILA	集英社	女性ヤングアダルト誌	228,848
FLASH	光文社	写真週刊誌	223,370
GetNavi	ワン・パブリッシング	モノ・トレンド情報誌	223,220
VERY	光文社	女性ヤングアダルト誌	220,716
LEE	集英社	女性ヤングアダルト誌	216,932
FRIDAY	講談社	写真週刊誌	214,266
SPA!	扶桑社	一般週刊誌	202,500
CLASSY.	光文社	女性ヤングアダルト誌	193,507

出典:電通メディアイノベーションラボ編『情報メディア白書2023』

人気は女性ヤングアダルト誌

　では、どのようなデジタル雑誌の読み放題が人気なのでしょうか。上記は読み放題サービスを提供する各社のユニークユーザー数を見たものです（2022年1月〜6月）。こちらを見るとカテゴリーは多様ながら、その中でも「Oggi」（小学館）、「BAILA」「LEE」（集英社）、「VERY」「CLASSY.」（光文社）など、働く女性をターゲットにした女性ヤングアダルト誌の人気が高いようです。働く女性が通勤時にデジタル雑誌を購読する、といったシーンが目に浮かびます。他にも、モノ・トレンド情報誌や写真週刊誌の人気が高くなっています。

第4章

出版

Chapter4

14

出版物にRFIDを導入する

RFIDとは、電波を用いてRFタグに記録されたデータを非接触で読み書き するシステムを指します。いま、書店での万引きを防止するため、紙の書籍 にRFタグを取り付ける動きが生じています。

RFIDとは何か

RFID は「Radio Frequency Identification」の略で、電波を用 いてRFタグに記録されたデータを非接触で読み書きするシステム を指します。なぜこのRFIDが書籍と関係するのか、以下に説 明しましょう。

RFIDは従来のバーコードと同様の使い方をすると想定すれば よいでしょう。ただし、バーコードの場合、タグを1枚ずつスキ ャンしなければならないのに対して、RFIDは遠くにある複数の タグを電波で一括してスキャンできます。

すでにRFIDはユニクロをはじめとしたアパレルメーカーで採 用されています。ユニクロの場合、商品にRFタグが取り付けて あり、これをセルフレジに通すと精算できる仕組みです。

このRFIDを出版物に応用する動きが出てきています。書籍に RFタグを取り付けることで、在庫管理の円滑化やレジ対応の人 員を減らせるという利点があるからです。

また、書店のみならず、出版社でも書籍の動きを瞬時に把握で きるため、RFIDに対する期待は高まっています。

さらに、RFタグには書き込みができます。書籍の精算が済ん だら、RFタグに精算済みと記録できるので、この記録がない場合、 ゲートを通るとブザーが鳴るようにできます。このようにRFID は万引き防止[*]にも有効です。そのため、RFタグの書籍への導入 に対する要望が書店側から強まっています。

しかしながら、問題はコストです。RFIDの導入には大きな費 用が必要になるため、今後の業界の取り組みについて、注視する 必要があります。

万引き防止
アパレルメーカーで も在庫管理の効率化 の他、万引き防止も 念頭にRFIDを導入 している。

▶ RFIDの利用例

● 入荷検品
RFIDで入荷検品がスピード
アップできる

● 顧客行動分析
試着室に持ち込まれた商品の
タグを読み取れば、試着された
回数をカウントできる

● POS
RFIDでレジの待ち時間を短縮
できる

● 固定資産管理
リアルタイムな工程管理で作
業を効率化できる

出典：デンソーウェーブ（https://www.denso-wave.com/ja/adcd/fundamental/rfid/rfid/index.html）

第4章

出版

知っておきたいマスメディア論④
第三者効果

他人はマスメディアの
影響を強く受ける

　第三者効果とは、マスメディアが発する情報について、自分はあまり影響を受けないものの、他人は影響されやすいと勝手に思い込む傾向を指します。例えばある広告マンがこのようなことをいいました。「ボクたちが作る広告は、一般の人に強い影響力を持つけど、ボクたちには効かないよ」。これは、広告は自分には影響力を持たないけれど、他人には強い影響力を持つという態度であり、明らかに第三者効果の表れです。

　中でも暴力やポルノなどネガティブな情報に関して、自分よりも他人のほうが影響を受けやすいと考える傾向が強くなります。

　ただしその逆も存在します。例えば、環境破壊の抑制や動物愛護に関する情報は、社会的に好ましいものとして受け止められています。こうした社会的に好ましい情報については、他人よりも自分のほうが影響を受けていると考える傾向が見られます。これを第三者効果に対して**逆第三者効果**や**第一者効果**といいます。

　このように、人はマスメディアが発するネガティブな情報は他人への影響を過大視し、マスメディアが発するポジティブな情報は自分への影響を過大視する傾向にあります。こうした誠に自分勝手な傾向が第三者効果、そして逆第三者効果です。

他の人も自分と同じ意見を
持つと思い込む

　勝手な思い込みという点で第三者効果に似ているものに**フォールス・コンセンサス**があります。こちらは自分が持つ意見や好みを他人も持っていると考える傾向を指します。

　ある心理学の実験で、大学生の被験者にサンドイッチマンの格好をしてキャンパスを練り歩いて欲しいと要望しました。そのあと、同意した人、拒否した人双方に、他の人はどのように答えるか尋ねました。するといずれも自分と同じ答えをすると回答した人が大多数を占めました。これは他の人も自分と同じ意見を持つと即断するフォールス・コンセンサスの存在をよく物語っています。

第5章

広告

マスコミ四媒体にとって、広告は大きな収入源です。
この広告にもインターネットの進展が大きな影響を及
ぼしています。広告会社もデジタル化への対応を急ぐ
など、従来とは様相が大きく変わってきているのです。
本章では、広告業界のいまを解説します。

Chapter5 01

広告とマスコミュニケーションの深い関係

企業がより多くの人に自社のブランドや商品を広告しようとした場合、マスコミュニケーションが欠かせない活動になります。そのためマス媒体と広告は切っても切れない関係にあります。

広告とは何か

AMA
American Marketing Associationの略。アメリカにおけるマーケティングの専門家の協会で1937年に設立された。

　アメリカ・マーケティング協会（AMA[*]）によると、広告とは「広告主が自らの名前を明示して、アイデアや商品、サービスその他を、人を介する以外の方法で、有料で告知すること」です。

　企業がこのような広告活動を行う際、自らのアイデアや商品、サービスをより多くの人々に一斉に知らせられること、すなわちマスコミュニケーション（第1章1節）ができればとても効率的です。その結果、不特定多数の人にふれるマス媒体が、広告媒体として広く利用されるようになりました。

　古くは新聞や雑誌などの印刷媒体が、広告媒体として重要な位置を占めました。しかしその後、電波を媒体にするラジオが登場し、より広範囲の人々に広告を提供できるようになりました。さらに、同じ電波媒体であるテレビの登場で、広告メッセージを動画として届けられるようになりました。

　こうして、多くの人に広告メッセージを伝える媒体として、新聞、雑誌、ラジオ、テレビが重要な役割を果たすようになりました。これら4つの媒体を総称してマスコミ四媒体と呼ぶことはすでにふれた通りです（第1章2節）。

インターネットで変わる広告

　しかしながら現在、インターネットという新たなマス媒体の出現により、マスコミ四媒体のポジションが大きく変化しています。

　インターネットでは通信ネットワークを媒体にして、デジタルメッセージをやり取りします。デジタルデータでは、テキストや音声、映像を一括して扱えます。データを送受信するデバイスは多様で、特にモバイルデバイスの場合、場所や時間を選びません。

▶ 広告に欠かせないマス媒体

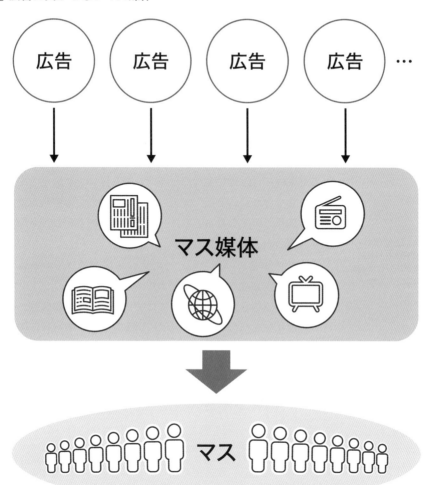

　加えて、インターネットはマスとパーソナル、双方をターゲットにできる**両面性**があります。

　これだけでも、インターネットが広告媒体として非常に有望であることがわかります。

　実際、**インターネット広告費がマスコミ四媒体の広告費を上回った**ことは、すでに1章4節で述べた通りです。現在の広告は、従来型のマスコミ四媒体とインターネットがせめぎ合う状況にあるといえます。

キープレーヤーとしての広告会社とその周辺に集う企業群

広告業界のキープレーヤーは広告会社です。広告会社がクライアントのマーケティングから広告制作、媒体の選定、広告の提供までトータルにコーディネートします。

多様な企業が活躍する広告業界

広告業界では、実に多様な企業が活動しています。その中心的位置に立つのが**広告会社**です。広告会社は広告主の依頼を受けて広告を制作します。もっとも、一口に広告会社といっても形態によりいくつかの種別があります。

電通や博報堂、**ADK**など、一般的に名前が通っている広告会社を**総合広告会社**といいます。また、マッキャンエリクソンのような**外資系広告会社**、特定の媒体に特化した**専門広告会社**、親会社の広告活動を支援する**ハウスエージェンシー**、さらにこの他にも**鉄道系広告会社**や**新聞系広告会社**、進展著しい**ネット広告会社**などがあります。

また、広告の制作を広告会社が単独で行うのは稀です。案件によって外部のCMプロダクションやデザイン会社、クリエイティブエージェンシー、Web制作会社、映像制作会社、展示会社などと一緒になって広告を制作します。

制作した広告は、**媒体**を通じてターゲットとなる顧客へ届けます。この媒体の主力になっているのが、マスコミ四媒体、それにインターネットです。この分野では、多くの媒体をとりまとめて広告会社に販売する**メディアレップ**の存在も忘れてはなりません。

また、屋外媒体や交通媒体、折込、DM、フリーペーパー、イベントなどを通じて提供する広告を総じて**プロモーションメディア広告**と呼んでおり、関連する企業が多数存在します。

こうして、私たちは、新聞や雑誌、ラジオ、テレビ、インターネット、さらに街を歩けば屋外広告や交通広告、イベントなどを通じて広告メッセージを受け取ります。これらの活動をトータルにコーディネートするのが広告会社なのです。

広告会社
かつては広告代理店と呼ばれることが多かった。近年では広告代理業のみが業務ではないので広告会社と呼ぶことが多い。

ADK
持株会社ADKホールディングス傘下の広告会社で正式名称はADKマーケティング・ソリューションズという。

▶ 広告業界の構造

広告会社

総合広告会社	鉄道系広告会社
外資系広告会社	新聞系広告会社
専門広告会社	ネット広告会社
ハウスエージェンシー	⋮

制作会社

クリエイティブ

- CMプロダクション
- デザイン会社
- クリエイティブエージェンシー
- Web制作会社
⋮

プロモーション

- イベント制作会社
- 照明音響会社
- 展示会社
- 人材派遣会社
⋮

媒体社

新聞	雑誌	ラジオ	テレビ
交通	屋外	DM	メディアレップ …

広告

過去最高を記録した広告市場規模

2022年（1月～12月）の日本の総広告費は、7兆1,021億円（前年比104.4％）と1947年に調査を開始して以来、過去最高になりました。市場を力強く牽引しているのがインターネット広告です。

📍 日本の広告市場規模は7兆1,021億円

すでにふれたように、広告会社最大手の電通では毎年、日本における前年の広告市場規模を算出して公表しています。この「2022年 日本の広告費」によると、2022年（1月～12月）の日本の総広告費は、7兆1,021億円（前年比104.4％）になりました。

日本の広告市場は2011年を底に、2019年まで8年連続でプラス成長になりました。しかしながら、2020年の新型コロナの流行により、同年の市場規模は6兆1,594億円、前年比88.8％という記録的な落ち込みになりました。しかし、2022年は2年連続のプラス成長で、2007年に達成した7兆191億円を15年ぶりに上回る過去最高の数字になりました。

広告市場を形成する媒体ごとに見ると、最も市場規模が大きいのはインターネット広告で3兆912億円、前年比114.3％と、2桁成長が続いています。インターネット広告は2019年にテレビ広告を抜き、2021年にはマスコミ四媒体のトータルを初めて上回りました。その勢いは止まりません。

そのマスコミ四媒体ですが、新聞が3,697億円（前年比96.9％）、雑誌が1,140億円（同93.1％）、ラジオが1,129億円（同102.1％）、テレビが1兆8,019億円（同98.0％）で、トータルで2兆3,985億円（同97.7％）になりました。

また、かつてはマスコミ四媒体やインターネット広告よりも市場規模が大きかったプロモーションメディア広告[*]は、2022年が1兆6,124億円（前年比98.3％）と、いまだコロナ禍の影響から立ち直れず連続して前年割れになりました。

そのうちリモートの進展により大幅な落ち込みになった交通広告は1,360億円（101.0％）と、前年をわずかに上回りました。

プロモーションメディア広告
マスコミ四媒体広告、インターネット広告以外の広告の総称。交通広告や屋外広告、折込広告などがある。第5章5節参照。

▶ 日本の広告業界の市場規模

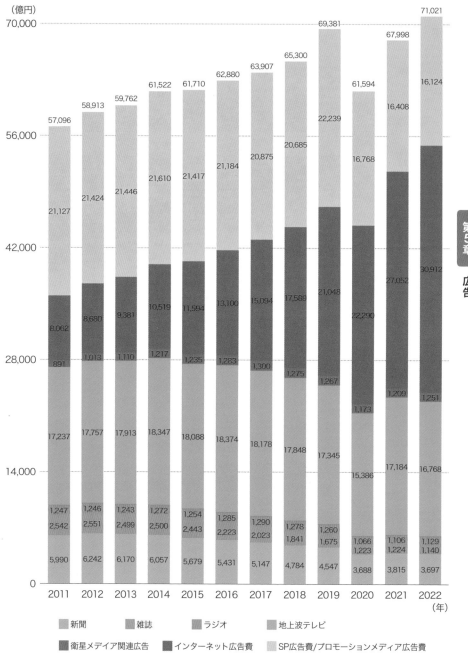

（億円）

	新聞	雑誌	ラジオ	地上波テレビ
	衛星メディア関連広告	インターネット広告費	SP広告費/プロモーションメディア広告費	

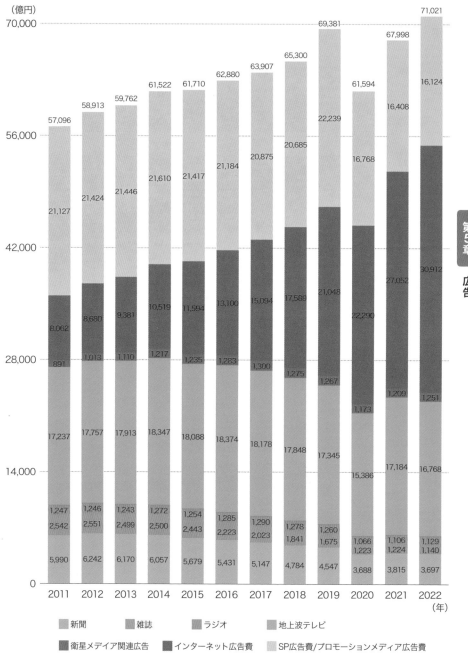

第5章

広告

出典：電通「2022年　日本の広告費」他各年版

129

Chapter5 04

マスコミ四媒体の3大クライアント

広告には広告主（クライアント）が欠かせません。広告会社が存在しても広告主がいなければ広告は成立しません。ここではその広告主にスポットを当ててみたいと思います。

📍 情報・通信、食品、化粧品・トイレタリー

マスコミ四媒体を利用する広告主とはどのような企業が多いのでしょうか。右ページのグラフは、業種別で見たマス四媒体広告費の推移を2015年から見たものです。

ご覧のように、情報・通信、化粧品・トイレタリー、食品が頭1つ抜け出ており、広告会社にとっての**3大クライアント**であることがわかります。

中でも情報・通信は、2017年にマスコミ四媒体広告費のトップクライアントになったあとそのポジションを維持しています。2022年に情報・通信業界がマスコミ四媒体に投じた広告費は2,969億円（前年比90.8%）で、マスコミ四媒体広告費に占める割合は13.1%でした。

情報・通信業界には携帯電話のキャリアが含まれています。テレビ放送ではNTTドコモ、au、ソフトバンクの広告を頻繁に目にします。情報・通信業界が広告会社にとって上得意であることがわかるというものです。

広告会社もクリエイティブ力で業界の要請に応えています。例えば、auといえば「三太郎」シリーズで有名ですが、このCMは2015年から8年連続で**CM好感度1位**を獲得しました。広告会社のクリエイティブ力がauの好感度向上に大きく貢献したといえるでしょう。

話を元に戻しましょう。情報・通信に続くのは2位に上昇した食品で2,157億円（構成比9.5%）でした。3位に転落した化粧品・トイレタリーは1,992億円（同8.8%）です。これら3業界を合わせると7,119億円で、マスコミ四媒体広告費に占める割合は31.4%になります。

三太郎
auのCMに登場する桃太郎、浦島太郎、金太郎を指す。この三太郎にかぐや姫や乙姫が加わって、ストーリー性のある広告が展開される。

広告会社のクリエイティブ力
「三太郎」シリーズのクリエイティブ・ディレクターは元電通で現篠原誠事務所の篠原誠氏。

▶ 業種別広告費の推移

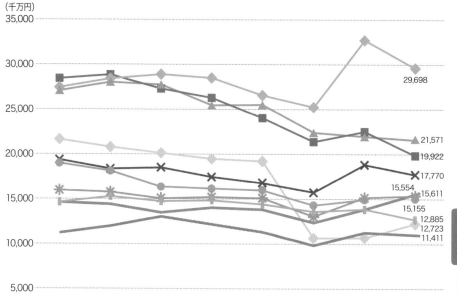

(千万円)

凡例:
- 情報・通信
- 化粧品・トイレタリー
- 食品
- 飲料・嗜好品
- 金融・保険
- 流通・小売業
- 薬品・医療用品
- 外食・各種サービス
- 不動産・住宅設備
- 交通・レジャー

データ値: 29,698 / 21,571 / 19,922 / 17,770 / 15,611 / 15,554 / 15,155 / 12,885 / 12,723 / 11,411

出典：電通「2022年　日本の広告費」他各年版

▶ 3大クライアントの占める割合

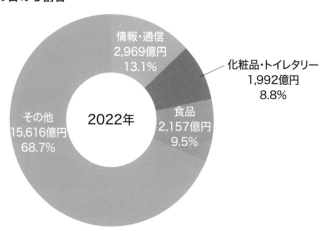

2022年

- 情報・通信 2,969億円 13.1%
- 化粧品・トイレタリー 1,992億円 8.8%
- 食品 2,157億円 9.5%
- その他 15,616億円 68.7%

出典：電通「2022年　日本の広告費」

Chapter5 05

プロモーションメディア広告とは何か

広告媒体には、マス四媒体やインターネット以外にも多様な媒体があります。一般にこれらの媒体を総称してプロモーションメディアと呼んでいます。

広告とマーケティング

広告はマーケティングと切っても切れない関係にあります。むしろ、広告活動はマーケティングに属する活動だといえます。

マーケティングを「ニーズに応えて利益を上げること」と定義したのは、近代マーケティングの父といわれるフィリップ・コトラー[*]です。これを実現するため、製品（Product）を用意し、価格（Price）を設定し、適切な流通経路（Place）を整え、プロモーション（Promotion）を通じて製品をアピールします。以上の4要素をマーケティングの4Pといいます。また4Pの組み合わせを最適にすることをマーケティングミックスといいます。

フィリップ・コトラー
Philip Kotler (1931〜)。近代マーケティングの父と呼ばれている。

さらに4Pの1つであるプロモーションに着目すると、こちらは「広告」「販売促進（セールスプロモーション）」「人的販売」「パブリシティ」からなります。広告活動は4Pのプロモーションに含まれるわけです。また、販売促進は狭義のプロモーションを指し、その媒体がプロモーションメディアにあたります。

プロモーションメディア広告としては、屋外広告、交通広告、折込広告、ダイレクトメール（DM）、フリーペーパー、POP、イベント・展示・映像などがあります。

2012年のプロモーションメディア広告費は2兆1,424億円で、日本の総広告費に占める割合は36.4％でした。2019年は2兆2,239億円に増加したものの、コロナ禍に直撃された2020年は1兆6,768億円、前年比75.4％という散々な結果になりました。2022年もコロナ禍の影響は収まらず、1兆6,124億円、前年比98.3％でした。広告費全体に占める割合は22.7％に低下しています。プロモーションメディアを構成する広告媒体が、外出控えやリモートワークの影響を受けやすいことが響いたようです。

▶ プロモーションメディア広告費と構成

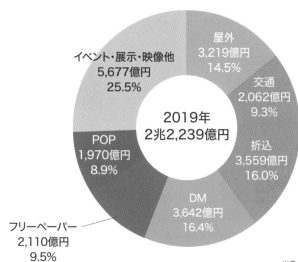

イベント・展示・映像他
5,677億円
25.5%

屋外
3,219億円
14.5%

交通
2,062億円
9.3%

2019年
2兆2,239億円

折込
3,559億円
16.0%

POP
1,970億円
8.9%

DM
3,642億円
16.4%

フリーペーパー
2,110億円
9.5%

出典：電通「2021年　日本の広告費」

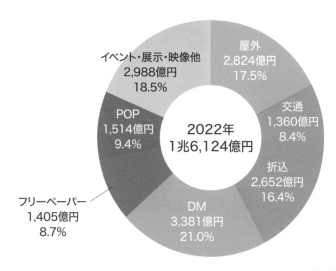

イベント・展示・映像他
2,988億円
18.5%

屋外
2,824億円
17.5%

交通
1,360億円
8.4%

2022年
1兆6,124億円

折込
2,652億円
16.4%

POP
1,514億円
9.4%

DM
3,381億円
21.0%

フリーペーパー
1,405億円
8.7%

出典：電通「2022年　日本の広告費」

第5章

広告

「電通」に「博報堂DYHD」「サイバーエージェント」が続く

日本の広告会社でトップを走るのは電通グループです。そのあとを博報堂DYグループが追います。また近年は、ネット広告会社の進展が非常に目立っています。

売上規模で見た日本の広告会社

電通は日本の広告業界の巨人ともいえる存在で、グループ全体の売上高は5兆8,195億円（2022年12月期）にも上ります。電通グループでは、日本のみならず世界市場でのM&Aにも積極的で、日本では断トツの1位、世界で見ても7位に食い込んでいます。すでに日本での収益よりも、海外での収益のほうが上回っています。

電通を追うのが博報堂DYホールディングスです。同社は持株会社で、傘下に広告会社の博報堂、大広、読売広告社などを持ちます。グループ全体の売上高は1兆6,343億円（2023年3月期）と、電通の背中はまだまだ遠いのが現状です。それでも世界8位の実力を持ちます。

注目したいのはサイバーエージェントです。好調なインターネット広告を背景に、ネット広告会社でトップを走る同社が、売上高7,105億円で博報堂に次ぐ3位に堂々ランクインしました。

従来、3位の地位にあったADKマーケティング・ソリューションズは、株式が非公開のため売上高が公表されていません。参考値として2020年12月期の売上は2,311億円でした。

ネット広告会社が大きく躍進

推定5位にランクインしているのが、やはりネット広告会社のD.A.コンソーシアムホールディングスです。D.A.コンソーシアムホールディングスは2018年に博報堂DYホールディングスの子会社になり、上場を廃止しました。そのため売上高は非公表ですが、参考値として2018年3月期は2,083億円でした。

以下、東急エージェンシー、ジェイアール東日本企画、読売広

▶ 日本の広告会社ランキング（推定）

順位	社名	最新	売上高(億円)
1	電通グループ	2022年 12月期	58,195
2	博報堂DYホールディングス	2022年 3月期	16,343
3	サイバーエージェント	2022年 9月期	7,105
4	ADKマーケティング・ ソリューションズ	2020年 12月期	2,311
5	D.A.コンソーシアム ホールディングス	2018年 3月期	2,083
6	東急エージェンシー	2023年 3月期	441
7	ジェイアール東日本企画	2023年 3月期	473
8	読売IS	2023年 3月期	422
9	読売広告社	2023年 3月期	320
10	大広	2022年 6月期	280

※一部ホールディングス内の企業についても掲載している。　　　　　　　　　　　　出典：各種公表データ

告社、大広*といった、かつて広告会社の売上上位にいた企業が続きます。また、読売ISは折込広告に強い総合広告会社です。

　このように、一昔前のランキングから大きく変わっているのが現在の広告業界です。

読売広告社、大広
両社とも博報堂DYホールディングスのグループ会社にあたる。DYは大広と読売広告社の頭文字をとったもの。

Chapter5
07

日本の広告業を牛耳る「電通」

電通グループは日本最大の広告会社です。グループ全体の売上は5兆8,195億円（2022年12月期）でした。同社ではいま、カスタマートランスフォーメーション＆テクノロジーを追求しています。

● 海外で売上を伸ばす電通

電通グループには、中核企業である電通を筆頭に、電通国際情報サービス、電通デジタル、セプテーニ・ホールディングス、CARTA HOLDINGS、電通プロモーション、電通ライブなどの有力企業があります。同社ではこれらの企業群を電通ジャパンネットワークと呼んでいます。電通ジャパンネットワークの売上総利益の合計は4,387億円でした。

このうち電通国際情報サービスはシステムインテグレーター、電通デジタルとセプテーニ・ホールディングス[*]はデジタルマーケティング、CARTA HOLDINGS[*]はメディア事業とアド事業の統括会社、そして電通プロモーション[*]と電通ライブはプロモーション系の企業です。

グループ各社を売上総利益で見ると、全体の48.5％を電通が占め、以下、電通国際情報サービスが10.7％、電通デジタルが9.2％となっています。

また電通グループでは海外展開にも注力しています。海外事業は電通インターナショナルと呼ばれていて売上総利益の合計は6,788億円です。電通では2023年より国内と海外の事業を統合し、単一の国際ネットワークを目指します。世界全体の広告業界で見ると、電通グループは7位[*]にランクインしています。

● カスタマートランスフォーメーション＆テクノロジーとは

電通が中期経営計画として掲げているキーワードの1つに「カスタマートランスフォーメーション＆テクノロジー（CT＆T）」があります。

これは、データテクノロジーに由来するマーケティング力、顧

セプテーニ・ホールディングス
デジタル・マーケティング事業を手掛ける。2022年1月4日付で電通グループの連結子会社になった。

CARTA HOLDINGS
電通系のメディアレップ、サイバー・コミュニケーションズ（cci）はCARTA HOLDINGSの子会社だったが、2022年に同社に吸収合併された。

電通プロモーション
電通テックがなくなり、電通プロモーションに名称が変わった。

7位
世界の広告エージェンシー・トップ10（143ページ）参照。

▶ 電通の売上構成

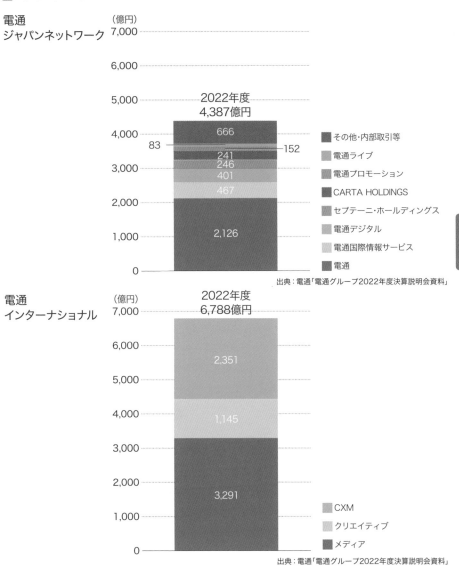

電通
ジャパンネットワーク

（億円）

2022年度
4,387億円

- その他・内部取引等
- 電通ライブ
- 電通プロモーション
- CARTA HOLDINGS
- セプテーニ・ホールディングス
- 電通デジタル
- 電通国際情報サービス
- 電通

666
83 — 152
241
246
401
467
2,126

出典：電通「電通グループ2022年度決算説明会資料」

電通
インターナショナル

（億円）

2022年度
6,788億円

2,351
1,145
3,291

- CXM
- クリエイティブ
- メディア

出典：電通「電通グループ2022年度決算説明会資料」

客経験マネジメント、電子商取引、システム・インテグレーションなどのテクノロジーを指します。

　同社では時代が要請するこれら新たなテクノロジーと、同社が従来強みとしていた「マーケティング・コミュニケーション」を組み合わせたソリューションの提供を目指しています。

Chapter5 08

日本の広告会社②

世界8位につける「博報堂DYHD」

博報堂DYホールディングスは、博報堂を中心とする博報堂DYグループの持株会社です。傘下企業は419社、売上は1兆6,343億円（2023年3月期）に上り、世界8位にランクされています。

博報堂DYグループの構造

　博報堂DYグループ[*]は、博報堂DYホールディングスを持株会社にした広告企業グループです。グループ企業の総数は419社で、その中核になるのが博報堂です。

　博報堂は、積極的なM＆Aで同業の大広や読売広告社を傘下に収めてきました。また、2021年には、次世代のWell-being市場創造を主目的とした博報堂DYマトリックスを設立しました。さらに、デジタルマーケティングエージェンシーとしてアイレップを傘下に持ちます。以上5社がグループにおける主要企業になります。

　さらに、これらの企業グループを横断する企業として博報堂DYメディアパートナーズ、DACなどが存在します。いずれも各種媒体を総合的に扱う企業で、それら媒体を各グループ企業に提供します。いわばグループを横断する横串機能です。

　同社ではこのような横串機能を強化してグループ全体の最適性を高めようとしています。そのために、グループのテクノロジーの基盤となる博報堂テクノロジーズを創設しました。また、グループのコーポレート機能を高度化・効率化する新会社の設立も計画されており、グループの連携を促進する経営管理の仕組みの強化を目指しています。

博報堂DYグループの成長戦略

　また同社では、成長市場である海外に積極投資を目論んでいます。特に、グループが持つ海外ネットワーク機能と、戦略事業組織である「kyu」を連携させることで、グループの戦略機能の強化を目指しています。

博報堂DYグループ
グループの全容は同社ホームページ「企業・グループ情報」(https://www.hakuhodody-holdings.co.jp/group/) に詳しい記述がある。

▶ 博報堂DYグループの構造

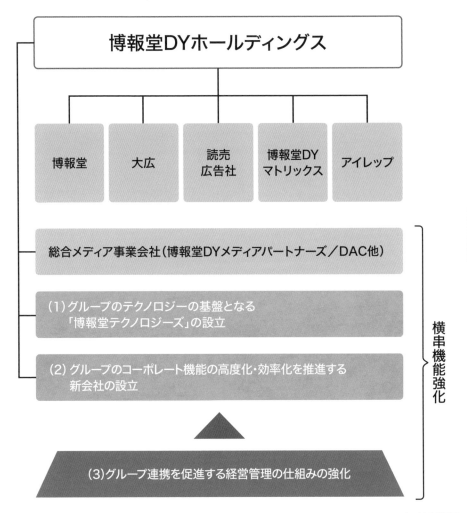

出典：博報堂DYホールディングス中期経営計画
(https://www.hakuhodody-holdings.co.jp/group/businessplan.html)

　さらに同社では、持続的成長の最大要素を「ヒト」と位置づけています。短期的にコスト増になったとしても、「人財」への投資を積極的に行い、社員が「クリエイティビティを最大限発揮できる環境の整備」を実践します。

　2024年3月期の業績予想としては、売上高1兆6,950億円、営業利益490億円を目指しています。

頭角をあらわす「サイバーエージェント」

日本の広告会社ランキングの3位にランクインしたのはインターネット広告会社サイバーエージェントです。ここではサイバーエージェントの現況と今後にふれたいと思います。

急成長したネット広告会社

サイバーエージェントは1998年3月に設立されました。クリック保証型バナー広告ネットワークで急成長し、2年後の2000年には東京証券取引所マザーズに上場しています。その後、ブログサービスやゲーム開発、テレビ朝日と共同出資のABEMA TV（現ABEMA*）と、業態を拡大してきました。

2022年9月期の売上高は**7,105億円**と創業以来25期連続の増収です。売上高の内訳は、メディア事業が1,121億円、広告事業が3,768億円、ゲーム事業が2,283億円となっています。

このように、サイバーエージェントを純粋な広告会社と呼ぶことはできませんが、広告事業の**3,768億円**は日本の広告会社の堂々3位にふさわしい売上だといえます。また、メディア事業を媒体事業と考えると、広告関連の売上はさらに拡大します。

インターネット広告事業単体を見ると、2018年度時点の2,406億円から順調に売上を伸ばしています。特にコロナ禍が直撃した2021年度は3,213億円で前年比119.3%、2022年度は前年比**117.3%**という高い伸び率になりました。

2022年11月から12月にかけて行われた**FIFAサッカーワールドカップカタール2022**では、全試合がABEMAにて放映されました。中でも、日本・スペイン戦の1日の視聴者数は**1,700万人**に達しました。サッカーワールドカップの放映がサイバーエージェントの売上に直接貢献するかどうかは何ともいえませんが、同社とABEMAの知名度が一気に上がったことは間違いありません。

なお、2023年度（2022年10月〜2023年9月）は、7,200億円の売上を目標にしています。また、引き続きABEMAへの投資を推進する計画です。

ABEMA
旧称ABEMA TV。ライブストリーミングも含む動画配信を提供する。運営会社ABEMA TVはサイバーエージェントとテレビ朝日が出資して2015年に設立された。

▶ サイバーエージェントの売上推移

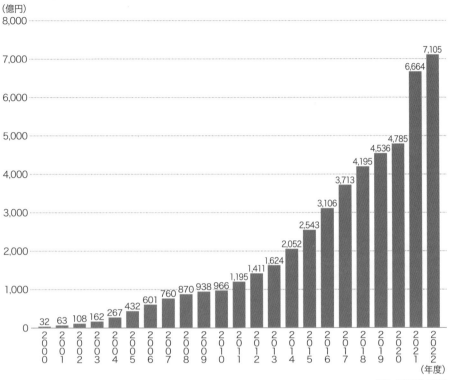

（億円）

年度	売上
2000	32
2001	63
2002	108
2003	162
2004	267
2005	432
2006	601
2007	760
2008	870
2009	938
2010	966
2011	1,195
2012	1,411
2013	1,624
2014	2,052
2015	2,543
2016	3,106
2017	3,713
2018	4,195
2019	4,536
2020	4,785
2021	6,664
2022	7,105

出典：決算説明会資料

▶ サイバーエージェントの売上構成

2022年度
売上構成

メディア事業
1,121億円
15.6%

ゲーム事業
2,283億円
31.8%

広告事業
3,768億円
52.5%

出典：決算説明会資料

▶ インターネット広告事業の売上推移

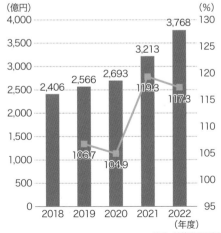

（億円）　　　　　　　　　　　（%）

年度	売上	
2018	2,406	
2019	2,566	106.7
2020	2,693	104.9
2021	3,213	119.3
2022	3,768	117.3

出典：決算説明会資料

Chapter5 10

コンサルティング系広告会社の躍進

世界の広告業界では、WPP、オムニコ・グループ、ピュブリシス・グループ、インターパブリック・グループがビッグ4と呼ばれていました。しかしこの順位はすでに過去のものとなりました。

ビッグ4に割り込んだコンサル系広告会社

右に示したグラフは、2022年における世界の広告エージェンシーの総収益トップ10を示したものです。

トップはロンドンに本拠地を置くWPPで、総収益は178億ドルでした。日本円に換算すると2兆3,442億円*になります。以下、アクセンチュア・ソング*が160億ドル（2兆1,072億円）、ピュブリシス・グループが150億ドル（1兆9,755億円）、オムニコ・グループが143億ドル（1兆8,833億円）、インターパブリック・グループが109億ドル（1兆4,355億円）、デロイト・デジタルが103億ドル（1兆3,565億円）、そして昨年は6位だった電通グループが95億ドル（1兆2,511億円）と1つ順位を下げました。

注目したいのは日本の電通ではなく、初めて2位になったアクセンチュア・ソングです。同社はコンサルティング会社として著名なアクセンチュアのグループ会社です。すでに世界の広告会社では、ビッグ4は過去の話になっています。

また、電通グループを蹴落として6位になったデロイト・デジタルもコンサルティング系のデジタル広告会社です。また、9位のIBM iXはテック系のIBMの傘下にあります。

このようにインターネット広告の進展にともない、ネットを対象としたデジタル広告を得意とするコンサル系やテック系の広告会社が売上を飛躍的に伸ばしているのが現在のトレンドです。このトレンドは日本にも押し寄せてくるかもしれません。

国際会計基準に要注意

なお、ここで示した総収益は国際会計基準（IFRS）*に従うものです。日本企業が一般に採用している売上高とは異なるので注

2兆3,442億円
2022年末の為替レート（1ドル131.70円/TTB）をもとに計算。以下同様。

アクセンチュア・ソング
2022年に旧称アクセンチュア・インタラクティブから社名が変わった。

IFRS
International Financial Reporting Standards の略。国際会計基準。

▶ 世界の広告エージェンシー・トップ10

順位	社名	本社	総収益(億ドル)	億円換算
1	WPP	英	$178	¥23,442
2	アクセンチュア・ソング	米	$160	¥21,072
3	ピュブリシス・グループ	仏	$150	¥19,755
4	オムニコ・グループ	米	$143	¥18,833
5	インターパブリック・グループ	米	$109	¥14,355
6	デロイト・デジタル	米	$103	¥13,565
7	電通グループ	日	$95	¥12,511
8	博報堂DYホールディングス	日	$74	¥9,745
9	IBM iX	米	$68	¥8,955
10	チェイル・ワールドワイド	韓	$33	¥4,346

※2022年末円ドル為替(TTB)131.70円換算　　　　出典：Ad Age「Agency Report 2023」

意が必要です。

　例えば日本の場合、広告会社が企業の代理人として業務を行った場合、取扱高と手数料の総計を売上高として計上します。しかし国際会計基準の場合、取扱高（代理人取引）については計上せず、手数料のみカウントします。

　電通や博報堂DYHDは、国際会計基準にしたがって総収益を公表しています。ただし、日本式の売上高も公表しています。電通の場合、2022年12月期の総収益は1兆1,170億円です。売上高は第5章6節でも見たように5兆8,195億円となっています。

広告会社の３つのセクション

Chapter5 11

広告会社は大きく❶営業セクション、❷メディアセクション、❸スタッフセクションの３つに分かれています。広告会社の組織を知るには、まずこの３つのセクションを理解することが先決です。

📍 営業・メディア・スタッフ

❶営業セクション

　広告主（クライアント）の要望を聞く交渉窓口が**営業セクション**です。また、クライアントの要望を実現するため、社内のスタッフを動かして実際の広告作りに反映させるのも営業セクションの重要な役割になります。

　人員は担当する広告主によって振り分けられます。売上の大きな広告主の場合、専門の営業セクションメンバーがチームとなって対応します。また、１社の広告会社が同業種のクライアントを複数対応する場合、社内担当チームが属する本部や局を分けて、秘密を厳守します。ちなみに、欧米のエージェンシーは１業種１クライアント*が大原則になっています。

❷メディアセクション

　広告媒体社との折衝や利用する広告媒体の管理を行うのが**メディアセクション**です。広告媒体ごとに人員を配置するのが一般的で、通常はマスコミ四媒体それぞれの他、インターネット媒体、交通媒体・屋外媒体などに分かれます。

　さらにテレビ局*ごとや新聞社*ごとに担当が分かれます。テレビCMの場合、スポットCMとタイムCMに担当が分かれることもあります。

❸スタッフセクション

　１つの広告を作り上げるためのスペシャリストが集まるセクションです。**スタッフセクション**には、マーケティング部門（広告活動の戦略立案）、クリエイティブ部門（広告表現の制作）、プロモーション部門（セールス・プロモーションに関する立案実施）、PR部門（媒体社へのパブリシティ折衝）などがあります。

１業種１クライアント
情報漏洩などに配慮して１業種につき１つのクライアントとしかビジネスをしないこと。欧米のエージェンシーでは常識になっている。

テレビ局
テレビ局の担当を略して局担という。

新聞社
新聞社の担当を略して紙担という。

▶ 仕事の流れ

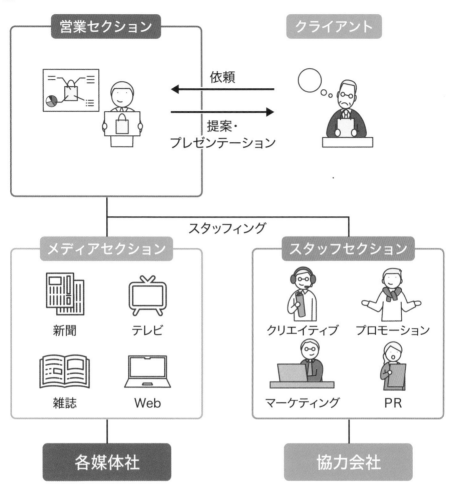

 ONE POINT

AE制は広告主とのより強固な関係を結ぶ

　広告主と広告会社1社がパートナーシップを結ぶことを**AE制**と呼びます。AEはアカウント・エグゼクティブ（Account Executive）の略で、日本語に訳すと会計責任者となりますが、顧客（アカウント）を管理する責任者と考えればよいでしょう。AEに選ばれた担当者は、広告主のパートナーとしてその意向を汲み、広告主になったつもりで広告作りを行うことになります。

Chapter5 12

広告会社で働く人々の仕事内容と求められる資質

広告会社では、第5章11節で見た3つのセクションで、多様な人々が多様な職務に就いています。ここでは広告会社における代表的な職務について紹介します。

広告会社の代表的な職務

まず、営業セクションの営業職からです。営業はクライアントと折衝し、それを持ち帰って社内のスタッフセクションを動かさなければなりません。人と接触する機会が非常に多いため、好奇心が旺盛で人好きであることが欠かせません。

次にメディアセクションの**媒体職**です。営業職から上がってきたオーダーに対して、担当している媒体社と折衝し、クライアントの要望通りの媒体を確保します。その際、よい枠をよい条件で確保することが重要になります。

多様な職務を持つのがスタッフセクションです。まず、**マーケティング職**は広告会社の頭脳ともいわれており、時代のトレンドや人々のニーズに合致する広告戦略を立案します。数量データを扱うので、データサイエンティスト*的センスが欠かせません。

広告会社の花形ともいえるのが**クリエイティブ職**です。テレビCMを企画立案するCMプランナー、平面広告を管理するアートディレクター、コピーを考えるコピーライターなど、こちらも多様な職務に細分化されています。

プロモーション職もスタッフセクションの1つです。プロモーション部ではイベントの企画運営、セールスキャンペーンの企画運営など多様な業務をこなします。そのため、デザインや印刷、装飾、音響など、多様な知識が必要になります。

インターネット広告の進展とともに重要視されているのが**インタラクティブ職**です。広告会社によって呼称が異なりますが、「インタラクティブ」とつけば、インターネットまたはデジタル関連と考えて間違いありません。インターネット広告の仕組みやカラクリに関する知識は必須です。

データサイエンティスト
大量のデータ（ビッグデータ）を分析して、解析結果をビジネスに活かす職種を指す。優秀なデータサイエンティストへの企業ニーズは非常に高い。

▶ 広告会社における多様な職務

営業職

好奇心旺盛で人との付き合いが大好き。クライアントとの飲みにも気軽に応じる。

媒体職

営業からのオーダーをてきぱきさばく。日頃から媒体各社とのお付き合いが重要になる。

マーケティング職

データ分析力にものをいわせて、新たなニーズやアピールポイントを提案する。

クリエイティブ職

映像の制作から平面のデザインまで、光るセンスと折れない根気で仕事をする。

プロモーション職

企画立案からスタッフィング、現場の管理まで、それこそ何でもこなす必要あり。

インタラクティブ職

クリエイティブやプロモーションと協業してネットでの展開を立案・運営する。

Chapter5
13

広告業界には
多様な広告関連会社がある

**広告業界は広告会社だけで成立しているわけではありません。広告会社以外
にもCMプロダクション、デザイン会社、イベント会社など、多種多様な
協力会社が活躍しています。**

広告会社とその協力会社

協力会社
広告会社から見ると
下請け会社になるが、
そのようにはいわず
協力会社と呼ぶのが
一般的だ。

　広告会社は多種多様な**協力会社**[*]と共同で1つの広告を作り上げ
ていきます。したがって、広告業界と表現した場合、こうした協
力会社も当然その範囲に含まれます。

　CMプロダクションはテレビコマーシャルや長尺のプロモーシ
ョンビデオなどの制作を請け負う会社です。広告会社が広告主か
ら受けてきた依頼に対して、広告表現を企画し、案が通ればCM
制作を請け負います。これらの活動はクリエイティブといわれる
ように創造性が欠かせません。本当に広告作りを目指すのならば、
広告会社よりもこのような制作会社のほうがマッチするかもしれ
ません。

　デザイン会社、**広告制作会社**などはさまざまな呼称があります
が、要するに新聞広告や雑誌広告、ポスター、カタログ、インタ
ーネットなど、平面関連の広告制作に関わる会社です。大手の制
作会社になると、CD（クリエイティブ・ディレクター）、アート
ディレクター、デザイナー、コピーライター、Webデザイナー
などに職務が細分化されています。

プロモーション系の関連会社

MC会社
司会者を派遣する会
社。MCはMaster
of Ceremonyの略。

人材派遣会社
キャンペーンガール
やアルバイトなどの
人材を派遣する。

　広告会社のプロモーション部門と共同でイベントや展示会など
を制作するのが**イベント会社**です。イベント制作会社やSPプロ
ダクションなどと呼ばれることもあります。イベントや展示会の
企画から、実際に案が通った場合その運営まで行います。

　このようなイベント制作では、イベント会社以外にも、**装飾会
社**、**照明会社**、**音響会社**、**MC会社**[*]、**人材派遣会社**[*]など、多様な
会社が現場に出入りします。ただし、今回のコロナ禍によりイベ

▶ 広告会社と多様な協力会社

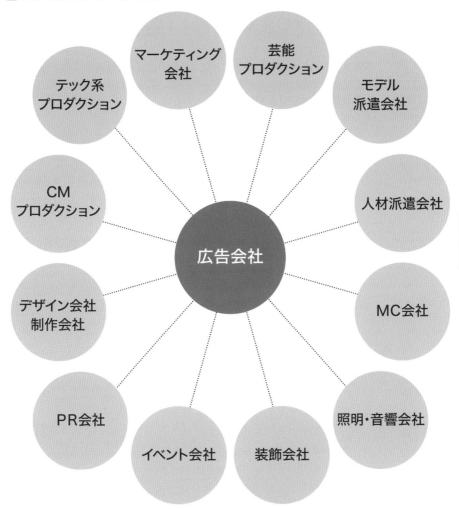

テック系
プロダクション

マーケティング
会社

芸能
プロダクション

モデル
派遣会社

CM
プロダクション

広告会社

人材派遣会社

デザイン会社
制作会社

MC会社

PR会社

イベント会社

装飾会社

照明・音響会社

ントの自粛が広がり、イベント関連会社を直撃しました。

　多くのタレントやモデルを抱えて、その育成やマネジメントを
行うのが**芸能プロダクション**や**モデル派遣会社**です。

　またこの他にも、マーケティングを専門に手掛ける**マーケティ
ング会社**やパブリシティを専門に請け負う**PR会社**などがありま
す。さらに、インターネットの進展によりデジタルテクノロジー
に強い**テック系プロダクション**も有力な協力会社の１つになって
きています。

規模の格差が大きい広告業界

Chapter5
14

広告業界の裾野が広いということは、規模がまばらな企業が多数存在すると考えてよいでしょう。この節で示すように、広告会社は規模の格差が非常に大きい業界だといえます。

広告会社の規模と従業者数

右に示したグラフは、広告会社（広告代理業）の事業所数と従業者数を、資本金規模別、従業者規模別、年間売上高規模別で見たものです。

まず、資本金規模別に見ると、事業所数として最も多いのは1,000万以上5,000万未満で4,721事業所にのぼります。従業者数でも資本金1,000万以上5,000万未満の広告会社で勤める人が4万8,180人と他を圧倒しています。最大手に相当する資本金10億円以上の広告会社に勤める人は2万1,039人でその半分に達しません。

次に従業者規模別に見ると、事業所数として最も多いのは4人以下の4,289事業所でした。小規模広告会社の数が非常に多いことがわかります。従業者数としては100人以上の広告会社に属する人が4万6,960人と他を圧倒していますが、10人から29人の中規模広告会社にも2万6,986人の従業者が集中しています。

さらに、年間売上高規模別で見ると、事業所数として最も多いのは売上1億円以上から10億円未満の広告会社で3,700事業所でした。100億円以上売り上げている事業所数は102事業所にしか過ぎません。従業者数では売上1億円以上の広告会社に従業者が集中しているのがわかります。

このように広告会社には極端に大手の企業がある一方で、従業者数が4人以下の小さな会社も多数存在します。また、大手広告会社と、従業者10人から29人の中規模広告会社に従業者が集中している現状もわかります。

このように、広告業界で働く人は、決して大手広告会社ばかりに雇用されているわけではありません。

▶ 資本金、従業者数、売上から見た広告会社の事業所数、従業者数

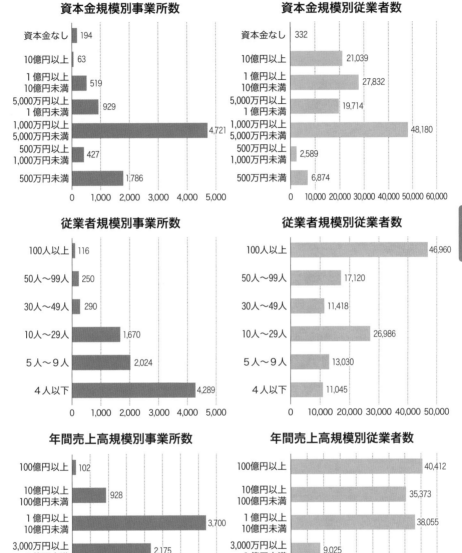

資本金規模別事業所数

資本金なし	194
10億円以上	63
1億円以上 10億円未満	519
5,000万円以上 1億円未満	929
1,000万円以上 5,000万円未満	4,721
500万円以上 1,000万円未満	427
500万円未満	1,786

資本金規模別従業者数

資本金なし	332
10億円以上	21,039
1億円以上 10億円未満	27,832
5,000万円以上 1億円未満	19,714
1,000万円以上 5,000万円未満	48,180
500万円以上 1,000万円未満	2,589
500万円未満	6,874

従業者規模別事業所数

100人以上	116
50人〜99人	250
30人〜49人	290
10人〜29人	1,670
5人〜9人	2,024
4人以下	4,289

従業者規模別従業者数

100人以上	46,960
50人〜99人	17,120
30人〜49人	11,418
10人〜29人	26,986
5人〜9人	13,030
4人以下	11,045

年間売上高規模別事業所数

100億円以上	102
10億円以上 100億円未満	928
1億円以上 10億円未満	3,700
3,000万円以上 1億円未満	2,175
1,000万円以上 3,000万円未満	1,130
1,000万円未満	605

年間売上高規模別従業者数

100億円以上	40,412
10億円以上 100億円未満	35,373
1億円以上 10億円未満	38,055
3,000万円以上 1億円未満	9,025
1,000万円以上 3,000万円未満	2,685
1,000万円未満	1,011

第5章

広告

出典：経済産業省「2020年経済構造実態調査報告書 二次集計結果【乙調査編】」(2021年7月)
データは2020年6月1日現在。

知っておきたいマスメディア論⑤
新しい強力効果論と議題設定機能

議題設定機能が生み出した新しい強力効果論

マスメディア論は、古典にあたる**強力効果論**から1940年代〜60年代の**限定効果論**（ともに第1章コラム参照）へと議論が発展しました。そして1970年代になると**新しい強力効果論**という立場が浮上します。

そもそも民主国家におけるマスメディアの報道とは、強力効果論の立場である説得を目的とはしていません。基本的な立場は情報の提供にあります。しかし、マスメディアがあらゆる情報を提供することはそもそも不可能であり、伝える情報と伝えない情報を選別しなければなりません。これを**ゲートキーピング機能**（第1章2節）といいました。

とはいえ、いくら公平に情報を取捨選択したとしてもやはり偏りは出てくるでしょう。こうした意図せず生じる情報伝達の偏りこそが、マスメディアの最大の影響力だと考えるのが**新しい強力効果論**の立場です。

この新しい強力効果論の端緒となったのが、マスメディアの持つ**議題設定機能**です。

これは、マスメディアがある特定のタイムリーな論点について取り上げて一般の人々に提示すると、受け手はその問題を重要なものとして位置づける傾向を指します。

現在の重要な課題を人々が認識する

例えばマスメディアが、原子力発電の賛否を問うキャンペーン記事を特集で連載したとしましょう。これによりマスメディアが原子力発電に対する賛成、または反対へと読者を誘導することは難しいかもしれません。しかしながら、マスメディアがもつ議題設定機能により、人々が原子力発電に関して考える機会を与えることはできます。少なくともこの点において、マスメディアには強力な効果があるとするのが新しい強力効果論の考え方です。

Yahoo!ニュースには、独自で選んだ8本のニュース見出しをトップに掲載する「**トピックス**」（通称**ヤフトピ**）があります。これはYahoo!ニュースによる議題設定に他なりません。

第6章

ネットメディア

ネットメディアの勢いが止まりません。2021年にはインターネット広告費がマスコミ四媒体広告費を初めて上回ったことからも、その勢いがわかると思います。しかしネットメディアの全貌はつかみにくいのが難点です。本章ではその実態を平易に解説します。

Chapter6 01

5分類で考えるネットメディア

ネットメディアでは、提供するコンテンツによって多様な種類に分類できます。明確な分類基準はありませんが、ここでは代表的なジャンルを5種類挙げたいと思います。

容易に分類できないネットメディア

❶ポータルサイト・専門サイト

従来のマスコミ四媒体が提供してきた情報をインターネット上のコンテンツとして提供する事業者です。ポータルサイトとは「玄関サイト」のことでインターネットの入り口に相当するサイトです。「Yahoo!Japan」や「goo」、「楽天Infoseek」などがあります。

専門サイトは特定の分野に情報を絞り込んだサイトです。したがって、利用者のプロフィールも絞り込まれ、結果としてターゲットの絞り込まれた広告媒体としての価値が高まります。化粧品のクチコミサイト「@cosme」、飲食情報の「ぐるなび」、レシピ情報を提供する「クックパッド」など、事例には枚挙に暇がありません。このようにターゲットが明確な媒体をクラスメディア*といいます。

かつてクラスメディアといえば雑誌がその代表でしたが、ネットメディアがそれに取って代わったのが現状です（第4章10節）。

❷検索サイト

検索サイトはネット固有のメディアです。検索語を入力して関連サイトやイメージを一覧にします。検索サイトの代表としてはAlphabetの「google」、Microsoftの「Bing」などがあります。

❸ソーシャルメディア（SNS）

SNSは「Facebook」や「Instagram」「LINE」「Twitter」など、人と人が交流する基盤を提供するメディアです。利用者が多いソーシャルメディアは単にそれだけでマスコミュニケーションのツールとして有力になります。また、趣味の合う仲間がコミュニケーションを行う場でもあるため、クラスメディアとしても機能します。

クラスメディア
特定のライフスタイルや趣味を持つ集団が利用するメディアを指す。かつては雑誌やDM（ダイレクトメール）がクラスメディアの代表だった。第4章10節One Point参照。

▶ ネットメディアの代表的なジャンル

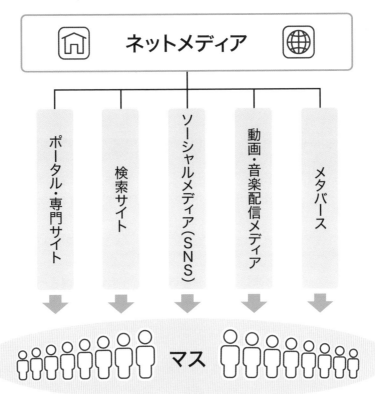

❹動画・音楽配信メディア

　動画配信メディアとしては「YouTube」があまりにも有名です。また、「Netflix」や「Amazonプライムビデオ」などのようにサブスクリプション型も人気です。

　音楽配信メディアとしてはサブスクリプション型の「Apple Music」や、広告も配信する「Spotify」などがあります。

　いずれも、従来のテレビ放送やラジオ放送が提供していた映像・音楽コンテンツを扱っているのが特徴です。

❺メタバース

　メタバースはコンピュータ内やインターネット上に構築された3次元仮想空間です。まだメタバースが普及しているとはいえませんが、新たに生まれたネットメディアとして、多様な企業がマスコミュニケーション用の媒体として注目しています。

Chapter6 02
オンラインコンテンツ市場の規模推移

ネットメディアに載る情報をオンラインコンテンツととらえると、その市場規模が把握できます。2021年におけるオンラインコンテンツの市場規模は5兆4,184億円でした。

日本のオンラインコンテンツ市場

総務省の「メディア・ソフトの制作及び流通の実態に関する調査」の結果報告書（令和5年6月）では、日本のオンラインコンテンツ市場の規模を推定しています。右ページのグラフ上は、同報告書によるオンラインコンテンツ市場の規模推移を2016年から見たものです。

2016年は3兆2,904億円だった市場は右肩上がりで拡大しています。2021年における日本のオンラインコンテンツの市場規模は5兆4,184億円でした。これは前年比111.9%の高い伸びになっています。

その内訳を見ると、映像系ソフトが3兆3,340億円（全体に占める割合61.5%）、テキスト系ソフトが1兆6,317億円（同30.1%）、音声系ソフトが4,526億円（同8.4%）でした（右ページのグラフ下）。

映像系ソフトでは、ゲームソフトが1兆5,427億円（同28.5%）と大きな割合を占めています。

ゲームをネットメディアの1つとしてとらえるのには無理があると思う人もいるかもしれません。しかしながら、近年はゲームのライブ配信に対する人気が高まっています。また、ゲームのライブ配信＆実況に特化したゲーム配信プラットフォーム*も支持を得ています。人気のゲーマーや実況者も生まれています。

さらにeスポーツ*のイベントも定期的に開催されるようになりました。地方自治体ではeスポーツによる町おこしを目指しているところもあります。

このように、オンラインのゲームソフトが特化型マスコミュニケーションの媒体となることも、十分にあり得るわけです。

ゲーム配信プラットフォーム
YouTubeやTwitch、OPENREC.tv、ニコニコ生放送など多数のプラットフォームが乱立している。

eスポーツ
コンピュータ・ゲームをスポーツ競技としてとらえたもの。eスポーツを職業にする人も出てきた。

▶ オンラインコンテンツ市場の規模推移

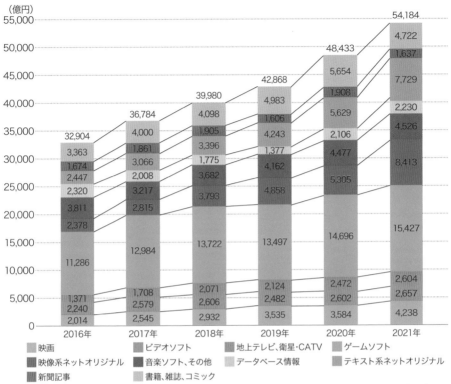

（億円）

凡例：
- 映画
- ビデオソフト
- 地上テレビ、衛星・CATV
- ゲームソフト
- 映像系ネットオリジナル
- 音楽ソフト、その他
- データベース情報
- テキスト系ネットオリジナル
- 新聞記事
- 書籍、雑誌、コミック

出典：総務省「メディア・ソフトの制作及び流通の実態に関する調査報告書＜概要＞令和5年6月」

▶ オンラインコンテンツ市場構成（2021年）

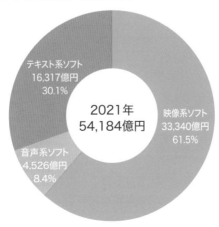

テキスト系ソフト
16,317億円
30.1%

映像系ソフト
33,340億円
61.5%

音声系ソフト
4,526億円
8.4%

2021年
54,184億円

出典：総務省「メディア・ソフトの制作及び流通の実態に関する調査報告書＜概要＞令和5年6月」

Chapter6
03

世界で最も大きな広告会社「Google」

世界で最も大きな広告会社が「Google」だというと奇妙に思う人も多いかもしれません。しかしながら、視点を変えて見ると、Googleが世界一の広告会社になります。

Googleの広告部門の売上は驚きの33兆円

Google*はアメリカを代表するビッグテック*の1つです。Googleは検索サイトとしてあまりにも有名です。しかし、「Googleは広告会社だ」と指摘すると、多くの人は「なぜ?」と思うかもしれません。

ではGoogleのビジネスモデルを考えてみましょう。同社の収益の柱になっているのが検索連動型広告のグーグル広告*です。Googleのサイトでキーワード検索を行うと、検索結果とは別に、キーワードに関連する広告が表示されます。ユーザーがこのスポンサー・リンクをクリックすると、広告主はGoogleに対して広告料を支払う仕組みになっています。

またアドセンスという広告サービスもあり、こちらはサードパーティーのウェブページやブログなどに、ページ内容や閲覧者の閲覧履歴に応じた広告をGoogleが配信するサービスです。広告がクリックされるごとに広告主からGoogleに広告料が支払われ、媒体提供者に分配されます。さらに、傘下のYouTubeに配信される動画広告も同社の広告収入源になっています。

Googleの売上を見ると、2022年は2,828億ドル（日本円換算で37兆円*）でした。その内訳を見ると広告部門が2,535億ドル（33兆円）で全体の89.6%を占めます。

広告会社電通が毎年公表している「日本の広告費」によると、2022年の日本の総広告費は7兆1,021億円でした。これには、インターネット広告はもちろんのこと、マスコミ四媒体やプロモーションメディア広告費など、すべての広告費用が含まれています。円安の影響はあるものの、Googleの広告売上高は、日本の総広告費のほぼ4.7倍に相当することになります。

Google
厳密には持株会社のAlphabetを指す。以下Googleと表記する。

ビッグテック
Google、Apple、Facebook、Amazon、Microsoftといったアメリカの巨大IT企業を指す。この5社をGAFAM（ガーファム）ともいう。

グーグル広告
かつてはアドワーズと呼ばれていた。検索キーワードに広告を提供するサービスを指す。

37兆円
2022年末の為替レートである1ドル131.70円で計算している。

▶ Google の売上推移

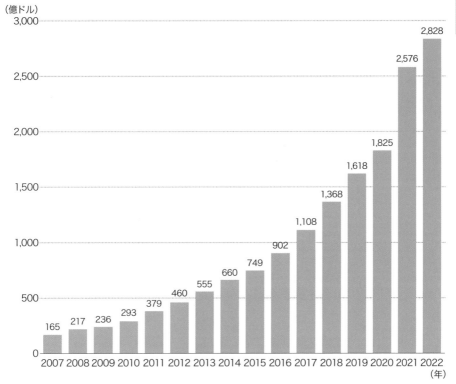

（億ドル）

出典：Google各年決算短信

▶ Google の売上構成

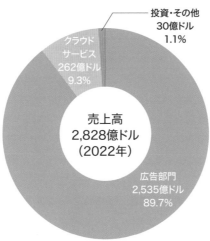

投資・その他
30億ドル
1.1%

クラウド
サービス
262億ドル
9.3%

売上高
2,828億ドル
（2022年）

広告部門
2,535億ドル
89.7%

出典：Google決算短信

Chapter6
04

ソーシャルメディアの巨人「Facebook」

フェイスブックは、ハーバード大学の学生だったマーク・ザッカーバーグによって2004年に設立されました。Facebookも広告媒体として絶大な力を有しています。

Facebookの広告事業は14兆円

企業名をFacebookからMetaに変更した同社は、ソーシャルメディアの「Facebook」や写真共有の「Instagram」、対話サービス「Messenger」、対話アプリ「WhatsApp」などのサービスを提供しています。また、同社では現在、メタバースプラットフォームである「Horizon Worlds」の普及にも力を入れています。

右ページのグラフに示したように、Metaの売上構成から、同社も広告事業が唯一の収入源であることがわかります。2022年の売上高は1,166億ドル（日本円換算で約15兆3,500億円*）で、そのうち「広告」が1,136億ドル（日本円換算で約14兆9,600億円）、全売上高の97.5%を占めています。

広告の売上規模こそGoogleに見劣りはするものの、それでも日本の広告費の2倍です。

Facebookの特徴はターゲティング広告*の精度にあります。その基礎になっているのがFacebookの実名登録制度です。

Facebookの利用者は実名登録が原則になっており、年齢や性別、学歴、職業、役職など、個人の属性も入力します。Facebookは利用者のプロフィールをがっちり握っているわけです。

さらに、利用者がFacebookで行った行動は、逐一ログとして蓄積されています。例えば「いいね！」ボタンを押した履歴から、その人の趣味や主張、傾向をAIで分析する、という具合です。Facebookではこうした分析データと属性データを組み合わせ、利用者に応じた最適の広告を提供します。

広告主としては、ターゲットを絞り込み、ピンポイントで広告を打てるメリットがあります。この点が広告媒体として見たFacebookの大きな利点になっています。

15兆3,500億円
先のGoogle同様、2022年末の為替レートである1ドル131.70円で計算している。

ターゲティング広告
ターゲットを絞り込んだ広告を指す。通常はインターネット広告で用いられることが多い。

Meta の売上推移

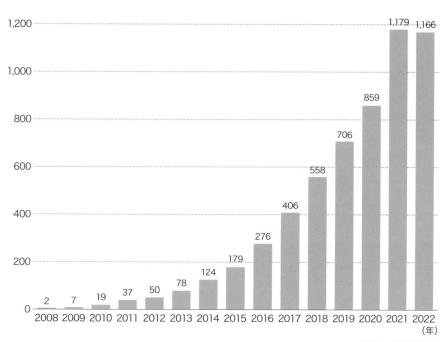

(億ドル)

1,400	
1,200	1,179 1,166
1,000	859
800	706
600	558
400	406
200	276
0	

2008 2009 2010 2011 2012 2013 2014 2015 2016 2017 2018 2019 2020 2021 2022
(年)

2 7 19 37 50 78 124 179

出典：Meta各年決算短信

Meta の売上構成

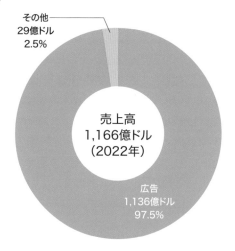

その他
29億ドル
2.5%

売上高
1,166億ドル
（2022年）

広告
1,136億ドル
97.5%

出典：Meta決算短信

プラットフォーマーは
新たなマスメディアか

ネット上のプラットフォーマーとして強大な力を誇示するのがGAFAMです。GAFAMはそれぞれ得意の分野で一強のポジションを確立し、新たなマスメディアとして絶大な影響力を発揮しています。

日本の税収の約3倍を稼ぎ出す

プラットフォーマーはB2BやB2Cの間に立ってワンストップでサービスを提供する点が大きな特徴です。こうしたプラットフォーマーとして絶大な力を誇るのがGoogle、Apple、Facebook、Amazon、そしてMicrosoftのGAFAM*です。

Googleは検索、FacebookはSNS、Amazonはeコマースで、それぞれプラットフォーマーとして大きな影響力を持ちます。一方、AppleはiPhoneをはじめとしたモバイルデバイスを握り、プラットフォーマーとしてデバイス向けサービスを充実させています。最後のMicrosoftもプラットフォーマーとしてクラウド側からのサービスに軸足を移しています。

プラットフォーマーは、サービスを行うための基盤（プラットフォーム）をユーザーに提供します。プラットフォームはそれ自体では価値を生みません。利用者が集うことで価値が生まれます。価値が生まれると利用者がさらに集い、価値がより高まります。

その構造は、媒体に人が多く集まると、媒体の価値が上がる状況と軌を一にしています。その意味でGAFAMは、インターネット上に成立した、自らは報道や情報発信を行わない新たなタイプのマスメディアだといえるのかもしれません（第6章8節）。

2022年の5社の売上を見ると、Google（2,828億ドル／37兆円*）、Apple（3,943億ドル／51兆円）、Facebook（1,166億ドル／15兆円）、Amazon（5,139億ドル／67兆円）、Microsoft（1,982億ドル／26兆円）で、5社の合計は1兆5,058億ドル（198兆円）です。2022年度の日本の税収は65兆円*でした。5社はそれよりも3倍も多く稼いでいます。知らぬ間に私たちの目の前には、国家を超えたマスメディアが姿を現しているのです。

GAFAM
Google、Apple、Facebook、Amazon、Microsoftの頭文字をとったもの。アメリカのビッグテックの代表。

価値が生まれます。
このように利用者が増えるほど経済効果が高まる現象をネットワーク効果と呼ぶ。

37兆円
2022年末の為替レートである1ドル131.70円で計算している。以下同様。

65兆円
2022年度の日本の一般会計当初予算は107.6兆円、そのうち税収はわずか65.2兆円にしか過ぎない。ちなみに国の税収は企業の売上と考えてよいだろう。

▶ GAFAM の売上推移

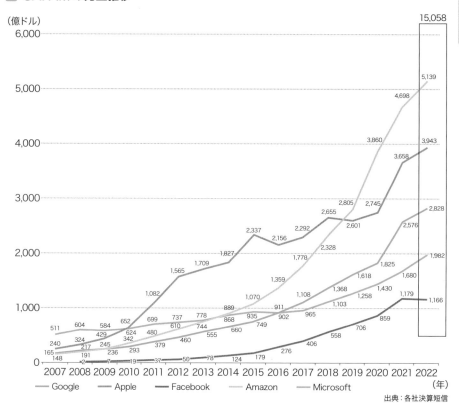

出典：各社決算短信

▶ GAFAM と日本の税収の比較（2022 年）

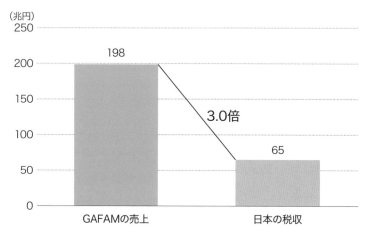

出典：各社決算短信

Chapter6 06

日本で大きな影響力を持つ「Zホールディングス」

Zホールディングスは「Yahoo!Japan」や「LINE」「ZOZO」「PayPay」などを傘下に持つ持株会社です。同社は日本のネットメディアに大きな影響力を持っています。

📍 傘下企業のそうそうたる面々

Zホールディングスは、ソフトバンクの子会社だったヤフー社に端を発し、LINEを所有していた韓国のネイバー社との合併会社として2019年に成立しました。傘下の企業には、「Yahoo!Japan（ヤフー社）」「LINE」「ZOZO」「PayPay」の他、旅行サイト運営の「一休」、宅配のポータルサイト運営の「出前館」、事務用品通販の「アスクル」など、著名企業が並びます。これら傘下企業群からも、Zホールディングスが日本のネットメディアとして大きな影響力を持つことがわかるでしょう。

同社の決算説明会資料をもとに経営状況を見ると、2022年度（2023年3月期）の連結売上収益は、前年の1兆5,674億円から1兆6,723億円、前年比106.7％の伸びにとどまりました。ただし、営業利益については前年の1,895億円から3,145億円（前年比166.0％）へと大きく伸びています。

同社は多様な顔ぶれの傘下企業を、メディア事業（メディア、広告、検索、コンテンツなど）、コマース事業（ショッピング、リユース、アスクルなど）、戦略事業（決済、金融、AIなど）の3つに分類しています。

これら事業分野ごとの売上収益を見ると、メディア事業が6,420億円（前年比100.1％）、コマース事業が8,364億円（同103.1％）、戦略事業が1,920億円（同173.3％）となっています。メディア事業とコマース事業が伸び悩んでいる模様です。

なお、PayPay事業を展開する戦略事業の調整後EBITDAはマイナス434億円と損失が出ています。事業計画によると、同社では今後もPayPayユーザーの拡大や金融サービスの強化をはかり、戦略事業を成長事業に育てる考えです。

リユース
オークションサービス「ヤフオク！」や「PayPayフリマ」「ZOZO USED」の事業を指す。

調整後EBITDA
Earnings Before Interest, Taxes, Depreciation and Amortizationの略。営業利益に減価償却費を加え、同業他社との比較のため一定の調整をしたあとの会計値を指す。

▶ Zホールディングスの売上推移と前年比

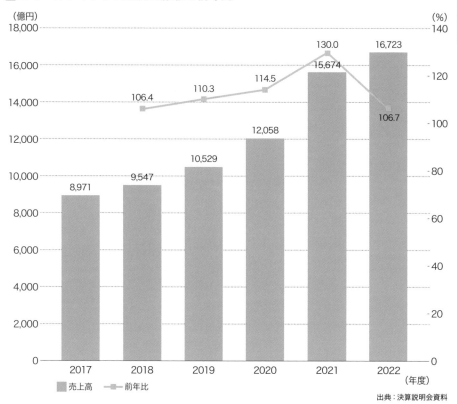

出典：決算説明会資料

▶ Zホールディングスの売上構成

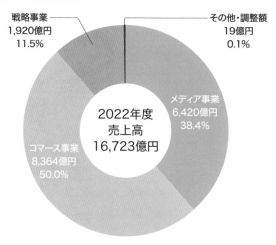

出典：決算短信

Chapter6 07

人気を集めているニュースアプリ

従来型の新聞メディアが苦戦を強いられる中、スマートフォンをターゲットにした新しいタイプのニュースアプリが次々と姿を現してきています。報道はいま岐路に立たされています。

乱立するニュースアプリ

第3章3節で見たように、既存の新聞社は新聞発行部数を大きく減らしています。しかしニュースに接する人が必ずしも減っているわけではありません。それというのも、スマートフォンにインストールしてニュースを閲覧する無料ニュースアプリが人気を集めているからです。

いまやニュースアプリも乱立気味ですが、日本最大級のアクセスを誇るのが老舗のYahoo!ニュースです。Yahoo!ニュースの特徴は報道機関から供給されたニュースを編成して配信している点です。また、社会的に重要と思われるニュースは「トピックス」(いわゆるヤフトピ*) としてまとめられ、Yahoo!Japanのトップページにも掲載されます。

Yahoo!ニュース以外のニュースアプリとしては、SmartNewsやグノシー、LINE NEWS、Googleニュースなど人気アプリが多数そろっています。

Yahoo!ニュースも含め、これらのニュースアプリの特徴は他のニュースサイトと提携して、それぞれのアプリのポリシーに応じて編成し、基本的に元記事をそのまま表示している点です。いわばニュースのキュレーション・アプリといってよいかもしれません。

また、ニュースへの接触はテキストを読むだけには限りません。例えば、NHKが提供するNHKプラス*では、見逃し配信サービスを行っています。これを利用すれば朝昼晩の長尺のニュースを自分の都合の良い時間に視聴できます。さらにポッドキャストのニュース*も場所や時間を選びません。このようにニュースに接触するスタイルは大きく変わりつつあります。

ヤフトピ
Yahoo!トピックスの略。公共性があり社会的関心の高いニュースの見出しを15.5文字以内で8本掲載する。

NHKプラス
厳密にいうと無料アプリではない。受信料を支払っている利用者を対象にしている。

ポッドキャストのニュース
新聞各社が提供しているポッドキャストによる音声ニュース。第3章13節参照。

▶ 人気のニュースアプリ

● Yahoo!ニュース

● SmartNews

● グノシー

● LINE NEWS

Chapter6
08

ソーシャルメディアによる広告ターゲットの絞り込み

ソーシャルメディアは不特定多数がメッセージの送受信に利用するマス媒体です。しかし不特定多数といいながら、利用者のプロフィールはかなり明瞭です。そのため、ターゲットを絞り込める広告媒体として大きな価値があります。

マス媒体としてのソーシャルメディア

本書の冒頭で言葉の定義をしました。メディア（媒体）とは、メッセージの送り手と受け手を媒介するものです。また、マス媒体とは、不特定多数の人々に情報を伝達するメディア（媒体）です。そして、マス媒体を利用したコミュニケーションをマスコミュニケーションといいます。このマスコミュニケーションを行う主体がマスメディアです。

以上を念頭にソーシャルメディア* について考えてみましょう。

Facebookを例にとった場合、私たちはFacebookを介して友達が発信した情報を得ると同時に、自分が発信した情報を相手に伝えます。つまりFacebookは、メッセージの送り手と受け手を媒介するメディア（媒体）として働いていることがわかります。

しかもFacebookの利用者は月間30億人にのぼるといいます。このような不特定多数の人に情報を伝達できるメディアであることから、Facebookはマスメディアとして定義できます。これは多数の利用者を抱える他のソーシャルメディアも同様です。

ただし、通常、ソーシャルメディア事業者は自らニュースを報道したり娯楽番組を提供したりはしません。あくまでも不特定多数に媒体を提供しているのがソーシャルメディア事業者です。この点で従来型マスメディアとは一線を画しています。

微妙に異なるユーザーの特徴

現在、ソーシャルメディアには多様な種類があります。右ページのグラフは、人気ソーシャルメディアのユーザーの性別・年齢別利用率を示したものです。ソーシャルメディアによってユーザーが微妙に異なることがわかります。

ソーシャルメディア
Social Network
Service（SNS）に
対する一般的な呼称。
交流サイトや共有サ
イトなどと呼ぶこと
もある。

▶ ソーシャルメディアの性別・年齢別利用率

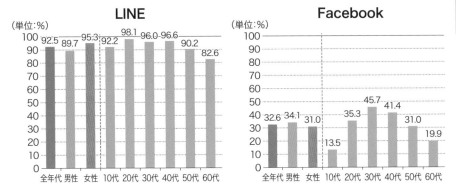

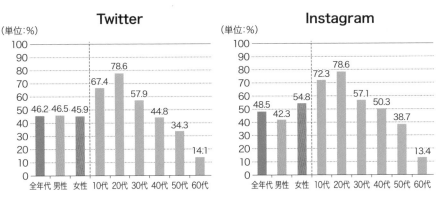

出典：総務省「令和3年度情報通信メディアの利用時間と情報行動に関する調査報告書」(令和4年8月)

LINEは男女や年齢にかかわらず高い使用率になっています。Facebookは10代にあまり人気がないようです。その10代、そして20代がよく使うのがTwitterです。さらに女性に人気が高いのはInstagramで20代の利用率が高くなっています。

このような特徴を持つソーシャルメディアの中で、利用者はさらに趣味の合う仲間と集い語ります。このようにソーシャルメディアは不特定多数が利用する媒体ながら、利用者のプロフィールはかなり明瞭です。

広告主はそのような絞り込んだターゲットに広告を打てるのですから、非常に効率的です。こうしてソーシャルメディアはマス媒体でありながら、ターゲットを効果的に絞り込める広告媒体として大きな価値を持つわけです。

Chapter6
09

サブスクリプション型動画配信の進展

急成長を遂げた定額動画配信サービスの勢いが若干落ち着いてきたようです。中でも快進撃を見せたNetflixの変調が話題になっています。今後は乱立したサービスの淘汰が進むかもしれません。

定額制動画配信サービスの今後

総務省『令和5年版情報通信白書』によると、世界の定額動画配信サービス（SVOD*）、いわゆるサブスクリプション型動画配信サービスの2022年の売上高は1,067億ドルに上ると推定されています。この数字は22年以降も右肩上がりで推移するものと考えられており、2026年には売上高が1,436億ドルに達すると予想されています。

一方、GEM Partnersの調査によると、「定額制動画配信（SVOD）」「レンタル型動画配信（TVOD）」「動画配信販売（EST）」を合わせた2022年の日本の動画配信市場全体の規模を5,305億円（前年比115.0%）と推計しています。そのうち定額動画配信サービスは4,508億円となりました。

サービス別のシェアを見ると「Netflix」が前年比マイナス0.8ポイントの22.3%で1位になりました。同サービスが1位を獲得するのは3年連続です。さらに2位はユーセン系の「U-NEXT*」で12.6%（前年比プラス1.1ポイント）でした。続く3位は「Amazonプライムビデオ」で11.8%（前年比マイナス0.2ポイント）でした。ちなみにこの「Amazonプライムビデオ」は、注文した商品の翌日配送が受けられる「Amazonプライム」（年間4,900円）に加入すると、自動的についてくるSVODサービスです。また、伸び率では「ディズニープラス」が高く、前年比プラス3.4ポイントの9.4%で5位にランクインしています。

GEM Partnersでは、今後の動画配信市場全体について、2027年に7,487億円に達すると予想しています。ただし、会員増加にブレーキがかかったNetflixが広告付き廉価サービスの提供を始めるなど、今後サービスの淘汰が進むかもしれません。

SVOD
Subscription Video on Demandの略。日本では定額動画配信サービスなどと呼ぶ。

U-NEXT
2023年3月、U-NEXTは同業の「Paravi（パラビ）」を運営するプレミアム・プラットフォーム・ジャパン（PPJ）と合併し、日本勢としてNetflix越えを目指す。

▶ 世界の動画配信サービスの市場推移

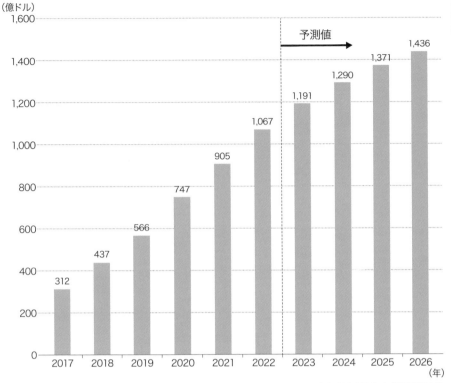

出典：総務省『令和5年版情報通信白書』

▶ 日本の動画配信サービスの市場とシェア

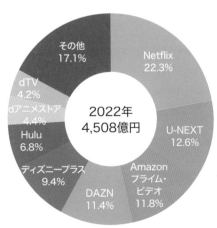

その他 17.1%
dTV 4.2%
dアニメストア 4.4%
Hulu 6.8%
ディズニープラス 9.4%
DAZN 11.4%
Amazonプライム・ビデオ 11.8%
U-NEXT 12.6%
Netflix 22.3%

2022年 4,508億円

出典：GEM「動画配信市場5年間予測(2023〜2027年)レポート」

Chapter6
10

ネットで息を吹き返した音楽業界

長らく低迷していた音楽市場は、定額音楽配信サービスにより劇的に息を吹き返しました。音楽を通じたマスコミュニケーションに、もはや定額音楽配信サービスは欠かせない存在になっています。

ガラパゴスな日本の音楽市場

　右上のグラフは、世界の音楽ソフト市場の長期推移を見たものです。2001年に221億ドルあった世界の音楽ソフト市場は、以後下降の一途をたどり、2014年には131億ドルと、10年間でほぼ90億ドルの市場が蒸発しました。その救世主になったのがストリーミング音楽配信です。

　2014年時点のストリーミングはわずか18億ドルしかありませんでした。しかし以後市場は、猛烈な勢いで拡大し、2022年には175億ドルに達しました。これはストリーミングのみで、2014年の音楽ソフト市場全体を上回る規模です。これにより2022年の世界の音楽ソフト市場は262億ドルと過去最大規模になりました。

　一方、右下のグラフは、日本の音楽ソフト及び音楽配信の市場規模推移を見たものです。2012年の3,651億円から翌2013年には3,121億円に市場が縮小して以降、2,700億円台から3,000億円台の間を上下しています。2022年は3,074億円でした。世界の音楽市場と違い、明らかに低迷する市場が浮き彫りになっているのがわかります。

　特徴的なのはオーディオレコード（CDを含む）や音楽ビデオの割合が大きいのに対して、ストリーミングの割合が小さい点です。オーディオレコードが1,349億円に対してストリーミングは928億円にしか過ぎません。世界の音楽市場ではストリーミングが66.8％を占めるのに対して、日本は30.2％にしか過ぎません。

　いまや音楽を通じてマスコミュニケーションを実現するには、ストリーミング音楽配信が欠かせません。その意味で日本の音楽市場はまだまだ発展途上にあるといえるのかもしれません。

ストリーミング音楽配信
音楽データを受信しながら同時に再生する方法を指す。再生デバイスに音楽データは残らない。

66.8%
アメリカの音楽市場のみだとストリーミング音楽配信市場は全体の84％になる（「Year-End 2022 RIAA Revenue Statics」）。

▶ 世界の音楽ソフト市場の推移

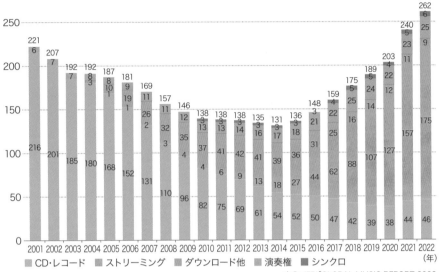

（億ドル）

凡例：■ CD・レコード　■ ストリーミング　■ ダウンロード他　■ 演奏権　■ シンクロ

出典：IFPI「GLOBAL MUSIC REPORT 2023」

▶ 日本の音楽ソフト・音楽配信市場の推移

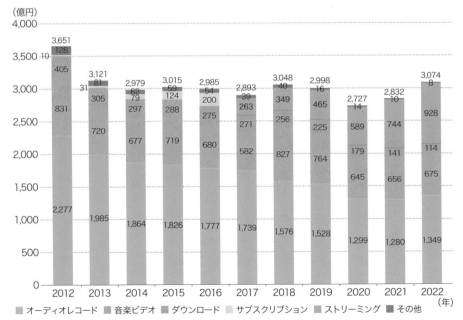

（億円）

凡例：■ オーディオレコード　■ 音楽ビデオ　■ ダウンロード　■ サブスクリプション　■ ストリーミング　■ その他

出典：日本レコード協会「日本のレコード産業2023」

3次元仮想空間メタバースは普及するのか

インターネットが登場した当時、インターネットがマスコミ四媒体を超えるメディアに成長すると誰が予想したでしょうか。そして今後、同じことがひょっとするとメタバースでも起こるかもしれません。

市場規模はやがて123兆円になるのか

メタバースはコンピュータ内やインターネット上に構築された3次元の仮想空間です。利用者は分身であるアバターを操作して仮想空間に入り込み、他のメンバーと空間を共有して交流します。また、仮想オフィスを構築してメタバース上で社員が仕事する環境を整えたり、仮想空間上で商品の販売をしたりする試みも行われています。さらにメタバースを広告活動に利用する実験も行われています。

総務省『令和5年版情報通信白書』によると、メタバースの世界市場は2022年に655.1億ドル（8兆6,277億円）でした。2030年には9,366億ドル（123兆3,463億円）まで拡大すると予想されています。

インターネットの普及が始まった1995年当時、インターネットがマスコミ四媒体を超える広告媒体に成長すると予想するのは非常に困難でした。しかし、四半世紀が経ったいま、インターネットはマスコミ四媒体を超えるパワーを持つようになりました。同じようなことがメタバースで起こる可能性は、決してゼロではないでしょう。

ただし、不安材料もあります。現在のインターネットがこれほど普及したのは、1人1台を所有するようになったスマートフォンに負うところが絶大です。

しかしながら、現在想定されているメタバースでは、仮想空間を体験するためのVRヘッドセット*が必要になります。このVRヘッドセットがスマホ同様に普及するのか、大きな疑問符*がつきます。ここにメタバースの普及に大きな溝があるように思います。この溝のことを経営用語でキャズム*といいますが、メタバースの普及には、このキャズムを越えることが欠かせません。

VRヘッドセット
メタバースを体験するために、頭に装着するゴーグルタイプの装置。

疑問符
スマホは常時携帯するものだが、VRヘッドセットはメタバースの利用に限定される。

キャズム
chasm。溝や割れ目。初期採用者（アーリー・アダプター）と初期多数派（アーリー・マジョリティ）の間にある溝を指す。経営学者ジェフリー・ムーアが提唱した。

▶ メタバース市場規模（売上高）推移及び予測

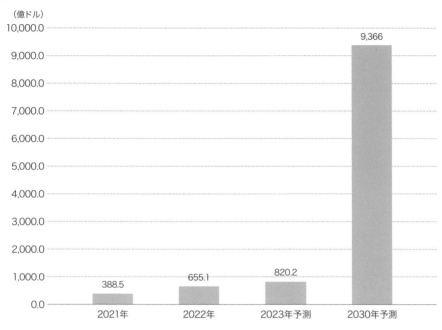

（億ドル）

	2021年	2022年	2023年予測	2030年予測
	388.5	655.1	820.2	9,366

出典：総務省『令和5年版情報通信白書』

▶ VRヘッドセット

Chapter6 12

ChatGPTは
次世代のマスメディアなのか

いまChatGPTの話題でもちきりです。あたかも人間のように受け答えする
その性能には驚くしかありません。このChatGPTが次世代のマスメディア
になるかもしれません。どういうことか説明しましょう。

◉ AIがマスとコミュニケーションする

AI
Artificial Intelligence
の略。通常、人工知
能と訳される。

ChatGPT
チャットジーピーティ
ー。OpenAIが2022
年11月に公開した人
工知能チャットボット。
GPTはGenerative
Pre-trained Trans
formerの略。

チューリングテスト
イギリスのコンピュ
ータ学者アラン・チ
ューリング（1912
～54）が提案した、
機械に知能があるか
どうか調べるテスト。
当初は**模倣ゲーム**
（imitation game）
と呼ばれていた。

生成AIとは、人の指示にしたがって文章や画像、動画を自動的
に作成してくれる人工知能（AI*）を指します。そのような生成AI
の中で、いま俄然注目を集めているのがChatGPT* です。
ChatGPTは米OpenAIがリリースした生成AIで、人間の質問に受
け答えする高度な対話能力を有しています。

右の図で示すように、例えばChatGPTに対して「マスメディ
アとは何か、説明してください」と問いかけると、みるみるうち
に回答してくれます。ChatGPTに初めて接する人はその能力の
高さに驚くのではないでしょうか。

チューリングテスト* という、機械に知能があるかどうか調べる
テストがあります。ChatGPTレベルになると、このテストをや
すやすとクリアするのではないでしょうか。

このChatGPTをマスメディアの視点でとらえてみましょう。
すでにChatGPTの利用者は1億人を超えているといわれます。
ChatGPTはこうした不特定多数の人々（マス）とコミュニケー
ションをとることができます。その意味で、ChatGPTを新たな
マス媒体としてとらえることができるでしょう。

ただし、ChatGPTは人と人のコミュニケーションを媒介する
ものではありません。ChatGPTが学習した情報と人を結びつけ
る媒体として働きます。すでにお馴染みの検索サイトも人と情報
を結びつける媒体です。それをより洗練させ、より人間らしくし
たものがChatGPTといえるのかもしれません。

いずれにせよChatGPTをはじめとした生成AIの進展は、コン
テンツの制作に大革命を起こす予感がします。引いては、コンテ
ンツを扱うマスメディアを大きく変える可能性を秘めています。

▶ ChatGPT との会話

Q マスメディアとは何か、説明してください。

マスメディアとは、多くの視聴者や一般大衆に届くさまざまなコミュニケーション手段を指します。これらのコミュニケーション手段には、印刷メディア（新聞、雑誌、書籍など）、放送メディア（テレビ、ラジオなど）、デジタルメディア（インターネット、ソーシャルメディアなど）などがあります。

マスメディアの目的は、情報、ニュース、エンターテインメントを多くの人々に広めることです。マスメディアは世論に大きな影響を与え、人々の考え方、感じ方、行動様式を形成することができます。また、製品、サービス、アイデアの宣伝にも利用されることがあります。

Q ChatGPTさんは、ご自身をマスメディアの一員とお考えでしょうか？

人工知能の言語モデルである私は、マスメディアのプラットフォームとして、コンテンツを生成したり、利用者と協働したりするために利用できますので、その意味では、マスメディアの一員と考えることができます。しかし、私の主な目的は、個人を支援し、情報を提供することであり、自分自身で多くの人に情報を発信することではありません。

Q ありがとうございます！

どういたしまして！　また何か質問があれば、気軽に聞いてくださいね。

出典：ChatGPT（原文は英語でそれを一部省略して翻訳した）

Chapter6

13

伸びる動画インターネット広告

すでに述べたように、インターネット広告市場は2021年に初めてマスコミ四媒体広告費の総計を超えました。2022年の市場規模は3兆912億円でした。ここでは同年におけるインターネット広告の内訳について見たいと思います。

インターネット広告の内訳

ネットメディアには多様なコンテンツがあふれています。そしてその多くが広告を収益源にしてコンテンツを提供しています。このように、ネットメディアと広告は切っても切れない関係にあるといえます。

2021年にマスコミ四媒体広告費を初めて超えたインターネット広告市場は、2022年に3兆912億円と3兆円を超えました。この中から「インターネット広告制作費」と「物販系ECプラットフォーム広告費」を除いた「インターネット広告媒体費」は2兆4,801億円で、前年比115.0%の伸びでした。

このインターネット広告媒体費の内訳を見ると、検索連動型広告が9,766億円（構成比39.4%）、ディスプレイ広告が7,372億円（同29.7%）、動画広告が5,920億円（同23.9%）でした。動画広告費は前年比115.4%の伸びになりました。

この動画広告には動画コンテンツ間に挿入するインストリーム広告とウェブ広告枠や記事内に挿入するアウトストリーム広告があります。動画広告のうちインストリーム広告は3,456億円（構成比58.4%）、アウトストリーム広告は2,463億円（同41.6%）でした。

さらに、この動画広告を手法別に見ると、運用型広告*が4,938億円（構成比83.4%）、予約型広告が982億円（同16.6%）になりました。運用型広告はリアルタイムビッディング*による自動入札で出稿する広告が決まる広告方式を指します（182ページ）。また、予約型広告はあらかじめ購入した広告枠に広告を出稿する方式を指します。なお、動画広告同様、ソーシャルメディアでの広告が8,595億円（前年比112.5%）と大きく伸びています。

物販系ECプラットフォーム広告
Amazonや楽天などの物販系サイトで行われているサイト内広告の費用を指す。

運用型広告
運用型広告及び予約型広告の詳細については第6章14節参照。

リアルタイムビッディング
広告の需要と供給を取り持つコンピュータシステム。RTBともいう。

▶ 動画広告種類別構成比

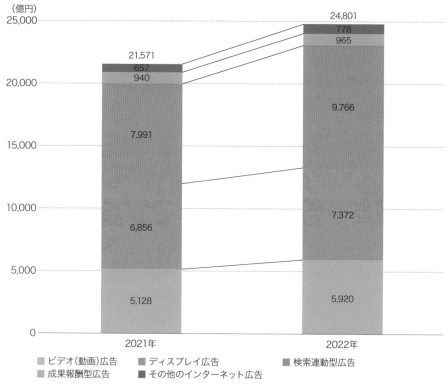

（億円）

出典：電通他「2022年 日本の広告費 インターネット広告媒体費 詳細分析」

凡例: ■ ビデオ（動画）広告　■ ディスプレイ広告　■ 検索連動型広告　■ 成果報酬型広告　■ その他のインターネット広告

▶ 動画広告取引手法別構成比

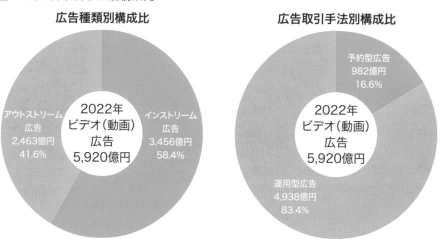

広告種類別構成比

2022年 ビデオ（動画）広告 5,920億円

アウトストリーム広告 2,463億円 41.6%
インストリーム広告 3,456億円 58.4%

広告取引手法別構成比

2022年 ビデオ（動画）広告 5,920億円

予約型広告 982億円 16.6%
運用型広告 4,938億円 83.4%

出典：電通他「2022年 日本の広告費 インターネット広告媒体費 詳細分析」

Chapter6 14

かつての主流、予約型広告と現在の主流、運用型広告

取引手法別にインターネット広告媒体を見ると、大きく予約型広告、運用型広告、成果報酬型広告があります。かつては予約型広告が大半を占めましたが現在の主流は運用型広告です。

手法別に見た広告方式

インターネット広告の媒体分類手法は多様ですが、その1つに広告手法で分類する方法があります。広告手法でインターネット広告媒体を分類した場合、大きく予約型広告、運用型広告、成果報酬型広告の3種類になります。

予約型広告は広告枠を事前に予約しておいて広告を出稿する方式です。この場合、対象ウェブサイト、対象ページ、対象場所、サイズ、出稿料金が示されていて、広告主は条件に合うものを購入します。契約形態としては、掲載期間を保証する期間保証型や露出回数を保証するインプレッション保証型、クリック数を保証するクリック保証型などがあります。

従来、ウェブ上のインターネット広告は予約型広告が一般的でした。しかし、運用型広告が登場することで事態は一変します。運用型広告とはコンピュータによる自動入札で出稿する広告が決まる広告方式を指します。運用型広告の代表の1つとして挙げられるのが、Googleが提供するGoogle広告（旧称アドワーズ）です。

Google広告は、利用者が入力したキーワードに関連する広告を表示します。その際に広告主は、あらかじめ広告を出したいキーワードと入札額、期間などを指定しておきます。そして、該当するキーワードが入力されると、そのキーワードに対して入札額が最も高く、かつ広告品質も高い広告が自動的に表示されます。

広告の出稿や入札はネットにつながっていれば誰でも行えます。発注単価も数万円程度から行えるため、従来はあまり広告を出さなかった中小規模の広告主が積極的に活用するようになりました。

最後の成果報酬型広告は、実際に販売や契約に結びついた成果をベースに広告料を支払う方式です。

日本におけるインターネット広告媒体費の取引手法別構成比推移

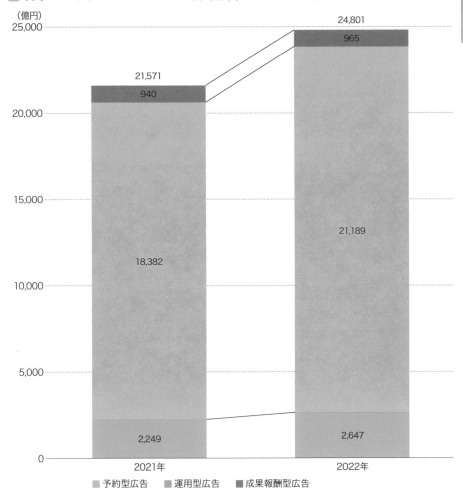

（億円）

- 予約型広告 　■ 運用型広告 　■ 成果報酬型広告

出典：電通他「2022年 日本の広告費 インターネット広告媒体費 詳細分析」

手法別広告方式のシェア

　現在の主流は運用型広告で、2兆1,189億円と全体の85.4％を占めます。また前年比は115.3％になりました。これに対して予約型広告が2,647億円（構成比10.7％、前年比117.7％）、成果報酬型広告が965億円（同3.9％、102.7％）になりました。これらの数字から、いまやインターネット広告市場は運用型広告の独壇場になっているのがわかります。

Chapter6
15

運用型広告を支える
リアルタイムビッディング

運用型広告で行われている核となるテクノロジーが、リアルタイムビッディングです。これにより、1インプレッション単位での広告表示が実現できます。インターネット広告に欠かせない技術です。

需要と供給をマッチング

RTB
Real Time Bidding の略。「リアルタイムビッディング」といわずに「アール・ティー・ビー」ということが多い。

DSP
Demand Side Plat form の略。

SSP
Supply Side Plat form の略。

GAM
Google Ad Manager の略。

リアルタイムビッディング（RTB）は運用型広告を支えるテクノロジーの1つです。RTBでは、広告を出稿したい広告主と広告を掲載してほしい媒体社とを結び付け、より高い広告料を提示した広告を自動的に表示します。

RTBを支えているのがDSP*及びSSP*という2つのプラットフォームです。DSPはディマンドサイドプラットフォームの略で、広告媒体を需要する側（ディマンドサイド）、すなわち広告主や広告会社が利用する広告プラットフォームを指します。代表的なものにGoogleが運営するDV360や、ユーザー評価の高いThe Trade Deskなどがあります。

また、SSPはサプライサイドプラットフォームの略で、広告枠を供給する媒体社側（サプライサイド）が利用する広告プラットフォームです。こちらにはGoogleのGAMやプラットフォーム・ワンが運営するYieldOneなどがあります。

DSPとSSPの間を取り持つRTB

これらDSPとSSPの動きを見てみましょう。

ある人が運用型広告スペースを持つウェブページにアクセスしたとしましょう。SSPはこの人物のユーザーIDや広告掲載先の媒体の種類、掲載サイズなどの情報をいくつものDSPに送信します。

DSPではリクエストに合致する広告を選択して出稿金額を入札します。SSPでは最も金額の高い入札をした広告を選び、それを先の人物がアクセスした広告スペースに掲載します。こうしたDSPとSSPの間を取り持っているのがリアルタイムビッディン

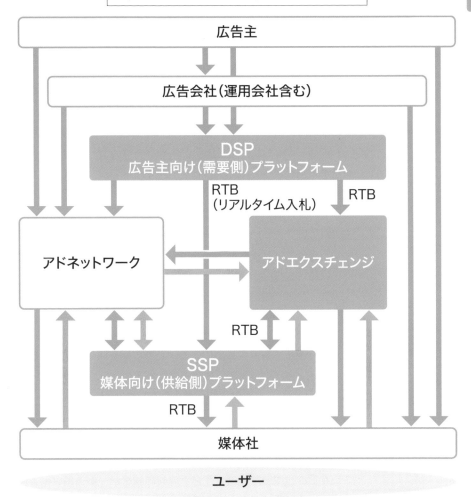

▶ インターネット広告のワークフロー

➡ 広告発注の流れ　➡ 広告在庫の提供

広告主

広告会社(運用会社含む)

DSP
広告主向け(需要側)プラットフォーム

RTB
(リアルタイム入札)　RTB

アドネットワーク

アドエクスチェンジ

RTB

SSP
媒体向け(供給側)プラットフォーム

RTB

媒体社

ユーザー

出典：林孝憲他『広告業界の動向とカラクリがよくわかる本』

グです。

　DSPとSSP、両者を取り持つRTBにより、広告主は広告をより効率的に配信できるようになりました。また、媒体社は広告媒体をできるだけ高値で販売できるようになりました。

　このように、いまや広告のマスコミュニケーションにコンピューティング・テクノロジーは欠かせないものになっています。

サードパーティークッキーの制限

サードパーティークッキーの制限

Chapter6 16

第三者配信

サードパーティークッキーの制限

絶好調のインターネット広告ですが、利用者のプライバシー保護の観点から問題視する声が上がっています。利用者の行動履歴であるサードパーティークッキーを無断で活用しているからです。

サードパーティークッキーの制限

クッキーとは、利用者がサイトを訪れた際に自動的に発行され、利用者のウェブブラウザーに一時的に保存される情報を指します。クッキーがあるおがけで、例えばカートに入れた商品をウェブブラウザーは記憶してくれています。

このクッキーにはファーストパーティークッキーとサードパーティークッキーがあります。ファーストパーティークッキーは実際に訪れているサイトから発行されるクッキーです。これに対してサードパーティークッキーは、利用者が訪れているサイト以外の第三者から配信されたクッキーです。

サードパーティークッキーには、その利用者の行動履歴がドメインを横断して蓄積されています。この情報を活用すれば、利用者が興味を持つ広告を表示できるでしょう。

Googleのアドセンス（第6章3節）はこのサードパーティークッキーを用いて広告を表示しています。また、Metaではフェイスブック・ピクセルをサードパーティークッキーとして利用して、利用者のドメインをまたぐ行動を補足しています。

一方で、検索履歴やコンテンツの利用履歴が、個人情報として保護される対象であるという意識が強まっています。IT企業でもサードパーティークッキーの利用を制限する動きが広がっているようです。Googleではサードパーティークッキーの利用を中止し、別の枠組みでターゲティング広告を展開すると宣言しました。Appleではウェブブラウザー「Safari」にサードパーティークッキー系由の広告をブロックする機能を搭載しています。

インターネット広告は、いま、ピンポイントでターゲットに届く効果的な広告と、プライバシー保護の間で揺れています。

第三者から配信
これを第三者配信という。アドサーバーなどから配信されることが多い。

Safari
AppleのMac OSやiOSに搭載されているウェブブラウザ。

ブロックする機能
これをITP(Intelligent Tracking Prevention)と呼ぶ。

▶ クッキーの種類

● ファーストパーティークッキー

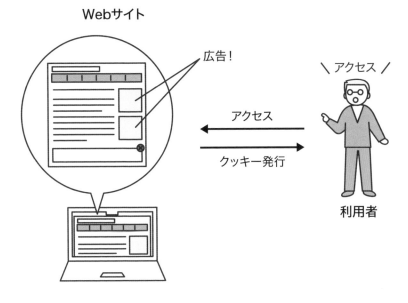

Webサイト

広告！

アクセス

アクセス

クッキー発行

利用者

● サードパーティークッキー

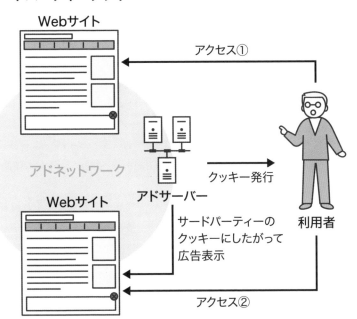

Webサイト

アクセス①

アドネットワーク

アドサーバー

クッキー発行

利用者

Webサイト

サードパーティーの
クッキーにしたがって
広告表示

アクセス②

Chapter6
17

ネット広告ビジネスの主なプレイヤー

インターネット広告ビジネスの中身は非常に複雑です。ここではできるだけシンプルに、インターネット広告に関わる主要4プレイヤーについて整理したいと思います。

インターネット広告ビジネスの主要4者

カオスマップ
広告主と媒体の間に多様なプレイヤーが存在し、その様子がカオスに見えることからつけられた呼称。

インターネット広告ビジネスの中身は複雑で、その構造をカオスマップ*と呼ぶことがあります。

ここでは、右に示した図に従い、インターネット広告のプレイヤーを、広告主・広告会社、媒体社、プラットフォーム事業者、メディアレップ、という4者で考えます。

広告主・広告会社は広告を出稿する主体です。本書で見てきた広告会社はここに位置づけられます。媒体社はインターネット広告媒体を所有する会社です。さらに、プラットフォーム事業者はGoogleやYahoo!Japan、LINEなどを運営する事業者で、自社でインターネット広告媒体を所有すると同時に、広告仲介業務も行っています。

少々わかりにくいのはメディアレップかもしれません。こちらは広告主・広告会社から依頼を受けインターネット広告媒体を仲介する事業者です。事業者としては電通系のCARTA COMMUNICATIONS（旧サイバー・コミュニケーションズ）や博報堂系のデジタル・アドバタイジング・コンソーシアム（DAC）、GMOグループのGMO AD PARTNERS、サイバーエージェントの子会社C. A. MOBILE、KDDI系のmediba、NTTドコモ系のD2Cなどがあります。

最後の媒体社はプラットフォーム事業者とそれ以外の媒体社が該当します。新聞や雑誌、放送局、ソーシャルメディア、動画メディアなどが、インターネット上の媒体枠を提供します。

媒体社の広告枠には、広告主・広告会社から直接、またはメディアレップを通じて、RTBなどのアドテクノロジーを介して、広告が表示され、インターネット利用者に届けられます。

▶ ネット広告の主要4プレイヤー

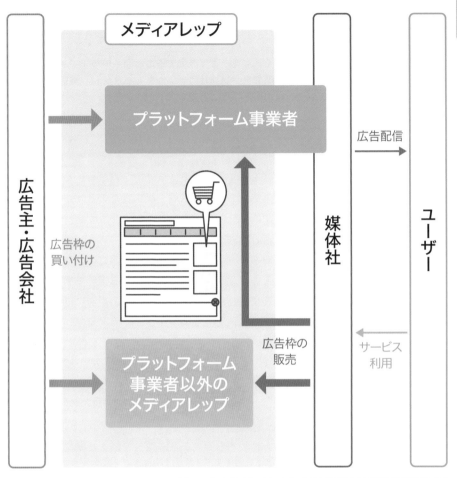

出典：公正取引委員会「デジタル広告の取引実態に関する中間報告書」（令和2年4月）

👆 ONE POINT

Googleはメディアレップ？

Googleの広告サービスにアドセンスがあります。こちらはウェブサイトの所有者が自サイトに広告枠を設けてGoogleに販売するサービスです。Googleはサイト内の内容を把握して、掲載を希望する広告主の広告を表示します。このように、Googleは広告主と広告会社の双方を取り持つメディアレップとしての機能も所有しているわけです。

ネットメディアで働く人々

ネットメディアで働く人々を一言で表現するのは難しいのですが、ネットメディアが持つ職種は新聞社や雑誌社に近いかもしれません。違いはベースが紙なのかデジタルなのかということです。

📍 3つのコア業務

ここでは媒体を有するネットメディアを前提に、その業務をコンテンツ制作編集、システム管理、広告営業の3つから考えて見たいと思います。

❶コンテンツ制作編集業務

媒体としてのネットメディアを成立させるには、コンテンツが不可欠です。そのコンテンツを制作編集する業務です。自らコンテンツ制作業務にあたる場合、新聞や雑誌の記者に近くなります。また、コンテンツ制作を外部のライターやカメラマンなどに依頼するのなら雑誌の編集者に近くなるでしょう。

また、コンテンツはWebデザイナーによって、ビジュアルデザインやコーディング、プログラミングが行われ、ネット上にアップされます。

❷システム管理業務

コンテンツを掲載するシステム基盤を管理する業務です。通常、媒体社はWebコンテンツを自社が運用するサーバーに置くことはありません。一般的にはAWS*やGoogle Cloud Platform*などのクラウドサービスが提供するサーバーを利用します。

そのため、Webコンテンツのコーディングやプログラミングの業務に加え、クラウドプラットフォームを活用したWebコンテンツの運用に関する業務も不可欠になります。

また、コンテンツをサーバーにアップするオリジナルのツールを開発するなど、作業効率化も重要な業務の1つになります。

❸広告営業業務

自社が持つネットメディア媒体を広告主・広告会社、メディアレップなどに販売する業務です。現在、媒体社が持つ媒体の多く

AWS
Amazon Web Serviceの略。Amazonが提供するクラウドコンピューティングサービスの呼称。「エー・ダブリュ・エス」という。

Google Cloud Platform
Googleが提供するクラウドコンピューティングサービスの呼称。「GCP」ともいう。

▶ ネットメディアの業務

コンテンツ制作編集業務

自らコンテンツを制作する場合、新聞や雑誌の記者の立場に似る。また、外部に委託するのならば編集者の立場に近いものになる。

システム管理業務

Webコンテンツの管理を行う。通常はAWSなどのクラウドサービスを利用する。管理システムの開発なども行う。

広告営業業務

自社Webサイトに掲載する広告を獲得する。ニーズを把握して魅力ある広告枠を作り出すことも業務の1つになる。

は、メディアレップなどが運用するサプライサイドプラットフォーム（SSP）に登録して販売します。そのため、販売状況を管理し、広告効果の測定やより売れるための方策（例えば新たな媒体枠の考案など）の企画立案も重要な役割になります。

また、媒体枠にふさわしくない広告が表示されないようにする、いわゆるブランドセーフティーの管理も欠かせません。

SSP
Supply Side Platformの略。空き媒体の収益を最大化するコンピュータプラットフォーム。第6章15節参照。

ブランドセーフティー
不適切な広告の表示や不適切な媒体への広告表示を防ぐこと。

Chapter6
19

ネットメディアと
コンプライアンス

生まれて間もないネットメディアには、光の部分と影の部分があります。ネットメディアが持つ負の側面もしっかり理解するとともに、ネットメディアに携わる人は信頼の醸成が欠かせません。

ネットメディアが利用者に及ぼす影響

　ネットメディアにはコンテンツを提供する側とコンテンツを利用する側がいます。この2つの立場からネットメディアの負の側面について考えてみましょう。まず、利用者から見た負の側面です。その1つがエコーチェンバーです。

　ソーシャルメディアに代表されるように、インターネットでは自分と似た考えの持ち主と接触することが容易に行えます。そのようなグループ内では、自分が持つ信念や好みに関する発言が繰り返されます。それはちょうど、自分の声が部屋の中で反響するようなものであり、これにより信念や好みがさらに強まります。このような状況をエコーチェンバーといいます。エコーチェンバーに陥ると、他人の意見を聞いているつもりでも、実は自分の意見を聞いているのと変わりがなくなります。

　また、フィルターバブル*もエコーチェンバーと似た効果をもたらします。現在のWebサービスでは、利用者個人の検索履歴やクリック履歴、購買履歴から、その人が興味あると思われる情報をアルゴリズムが優先的に表示します。その結果、利用者の好みに沿わない情報は排除され、過去の履歴に沿ったものとなり、自分の信念や価値観の「バブル（泡）」に包まれます。このような状況をフィルターバブルといいます。

　仮に不適切な信念を持つ人が、エコーチェンバーやフィルターバブルにふれ続けると、その信念を正しいものとして疑わなくなります。その結果、異なる意見に耳を傾けなくなります。いまや社会の分断が叫ばれて久しくなります。その背景には、エコーチェンバーやフィルターバブルによって、異なる意見に耳を傾ける人が減っているからかもしれません。

フィルターバブル
自分の信念に反する事実が露わになると人には認知的不協和が生じます。これを避けるため人は、自分の信念に合致する情報に接触しようとします。確証バイアスと呼んでいます。第2章コラム参照。

▶ ネットメディアの負の側面

エコーチェンバー、フィルターバブル

⬇

他人の意見に耳を傾けなくなる

コンテンツを
利用する側

広告収入の最大化を目的にする

⬇

倫理観・コンプライアンスの欠如

コンテンツを
提供する側

📍 広告収入の最大化を目指すネットメディア

　コンテンツを提供するネットメディアにも負の側面があります。かつてDeNAが運営していたまとめサイトで、大量の記事や画像の著作権違反が判明しました。まとめサイトに多くの人を集めて広告媒体としての価値を高め、より大きな広告収入を得るには、大量の記事が必要になります。そこで記事をお手軽に作るため、他のサイトの記事や画像をコピペして利用したようです。

　事件後、当該のまとめサイトは閉鎖されましたが、この事件はネットメディアに対して、高い倫理観やコンプライアンス*、ガバナンス*の必要性を改めて示すことになりました。

コンプライアンス
法令遵守。倫理観と同様、企業に不可欠な態度である。

ガバナンス
企業統治。企業も市民の一員として高い倫理観及び法令遵守のもと統治される必要がある。

知っておきたいマスメディア論⑥
補強効果と沈黙の螺旋理論

マスメディアは
あなたの意見を強化する

マスメディアの**限定効果論**（第1章コラム参照）の中心概念の1つに補強効果があります。**補強効果**はマスメディアが持つ効力の1つで、マスメディアが受け手の意見を変えることは難しいが、人がもともと持っている態度を強める効果があるとする立場を指します。

例えばトランプ米元大統領のテレビ演説を見て、彼のファンはもっと彼を好むようになるでしょう。逆にアンチトランプならば彼をより嫌うようになるでしょう。いずれもマスメディアの補強効果が働いたと考えられます。

それでは、アンチトランプ派のあなたが、トランプ派の集団の中にいるとします。その中であなたはアンチトランプを堂々と宣言できるでしょうか。

人々が所属する集団には、その集団がもつ規範や考え方、態度、振る舞い方があります。集団に所属するメンバーは規範に合うよう圧力がかかります。これを**集団圧力**といいます。

仮にあなたが、所属する集団とは異なる考えを持っていることに気づいた時、その態度を表明すると集団から孤立する可能性が高まります。この孤立の恐怖により、人は沈黙して自分の考えを表明しなくなります。

多数派からの孤立を避けるため
自分の態度を表明しない

同様のことはマスメディアとの関係でも生じます。

マスメディアの意見は社会の一般的な意見、多数派の見解を反映しています。このマスメディアによる多数派の意見が受け手の意見と異なるとしましょう。

この時、マスメディアが受け手の意見を変更させることは難しいかもしれません。しかし、メッセージの受け手は孤立の恐怖から、自分の意見を変更しないまでも、沈黙して考えを表明しなくなります。このような解釈を**沈黙の螺旋理論**といいます。

沈黙の螺旋理論も**新しい強力効果論**（第5章コラム参照）の一種として位置づけられます。

第7章

マスコミの未来

「はじめに」でもふれたように、いま従来型マスメディアは大きな曲がり角にさしかかっています。このまま危機を脱せなければ、日本のジャーナリズムは機能不全を起こしかねません。最悪の事態を避けるためにも何が必要なのか、最終章で考えてみたいと思います。

Chapter7 01

マスコミは「マスゴミ」なのか

インターネットの登場により「マスコミ」による情報発信の寡占が崩れました。中には「マスコミ＝マスゴミ」は不要だという意見さえ出てきています。しかし従来型マスメディアは本当に不要なのでしょうか。

ネットメディアの威力

第1章で見たように、2021年はインターネット広告費が従来型マスメディアであるマスコミ四媒体広告費を初めて上回った年です。この事実は、ネットメディアの影響力が従来型マスメディアを上回るようになったことを意味しているといえるでしょう。

確かにネットメディアはある面で従来型マスメディアを上回る影響力を持っています。例えば、事件の速報はかつて新聞の独壇場でしたが、テレビの普及でその地位をテレビに譲りました。しかし、現代では、突発事件をいち早く知らせるのは、個人が現場で撮った写真や映像で、それがソーシャルメディアで拡散します。こうして従来型マスメディアが持っていた速報性はネットメディアに奪われてしまいました。

また、2011年初頭からアラブ諸国で巻き起こった大規模反政府デモ、いわゆるアラブの春※では、ソーシャルメディアなどを通じて抗議活動に関する呼びかけが行われました。この民主化要求運動は大きなうねりとなり、時の絶対的権力者による支配体制に終止符を打つ原動力になりました。ネットメディアの威力を見せつける事件だったといえるでしょう。

そのためか、「従来型マスメディア＝マスコミ」を「マスゴミ※」と位置付け、もはや不要だという意見も出るようになりました。

「マスコミ」は本当に不要なのか

しかし「マスコミ＝マスゴミ」は本当に不要なのでしょうか。そもそもマスコミ四媒体は、一般大衆にエンタテイメントを提供するために存在するのではありません。その存在理由は、社会で生じる出来事について、公正な立場から一般大衆に事実を報道し、

アラブの春
2011年初頭から中東・北アフリカ地域のアラブ世界で起きた一連の民主化運動を指す。これによりチュニジアやエジプト、リビアの政権が崩壊した。

マスゴミ
マスメディアを「不要物＝ゴミ」と揶揄した表現。

▶ 従来型マスメディアが崩壊すると

解説し、批評することにあります。

　私たちが事実を知るということは民主主義の根幹です。その根幹を支えるのが報道機関としての従来型マスメディアです。

　仮に従来型マスメディアがたったいま、瞬間で消滅したとしましょう。では明日からネットメディアが公正な立場から一般大衆に事実を伝える報道機関として機能するでしょうか。誰も機能するとは思わないでしょう。

　ソーシャルメディアには今日もデマやフェイクニュース、公正でない誹謗中傷があふれています。クリック数や広告収入を稼ぐため、安易なコンテンツを提供するネットメディアがいまも存在します。

　従来型マスメディアが公正な報道機関として機能する限り、またネットメディアが情報の信頼性を保証する力を持たない限り、「マスコミ」の存在は決して「マスゴミ＝不要」ではありません。

危機に瀕する従来型マスメディア

従来型マスメディアは報道機関として機能する限り、「マスゴミ」ではありません。しかしながら、公正な報道機関としての従来型マスメディアが経営的に行き詰まるリスクが高まってきているように見えます。

従来型マスメディアの苦境

従来型マスメディアが、公正な報道という使命を堅持することは大変素晴らしいことです。

しかしながら、「組織の使命の追求」と「組織の存続」はまた別物です。いくら崇高な使命であっても、その使命を達成するための能力や資金がなかったり、手法が間違っていたりすれば、組織の存続は危機に瀕するでしょう。

右ページに示したグラフは、読売新聞と朝日新聞の売上（連結）について、2001年度と2022年度を比較したものです。2001年度における読売新聞グループの売上は4,882億円ありました。それが21年後の2022年度は2,720億円となりました。これは2001年比で55.7%（44.3%減）と21年間で売上の半分近くが蒸発したことになります。

一方、朝日新聞グループを見ると、2001年度の売上は4,173億円でした。これが2022年度には2,670億円になりました。2001年比で見ると64.0%、21年間で36.0%の売上が失われました。

ただ、これらの数字はいずれも連結で、新聞社本体の売上や推移が不明確な点です。例えば読売新聞の場合、読売新聞グループ本社の下に、読売新聞東京・大阪・福岡3本社と、読売巨人軍、中央公論新社、よみうりランドを置いています。同社ではこれらの企業群を基幹7社[*]と呼んでおり、公表されている売上はこれら7社をトータルしたものです。

株式公開の必要がない新聞社

また、新聞社である読売新聞社、朝日新聞社とも株式は非公開で、決算を公表する義務はありません。それでも朝日新聞社の場

基幹7社
従来は基幹6社だったが、2021年によみうりランドを完全子会社化し、基幹7社になった。

非公開
日刊新聞社は通称「日刊新聞法」により株式の譲受人はその会社の事業に関係のある者に限るとされており、このため不特定多数を対象にした株式公開ができない。

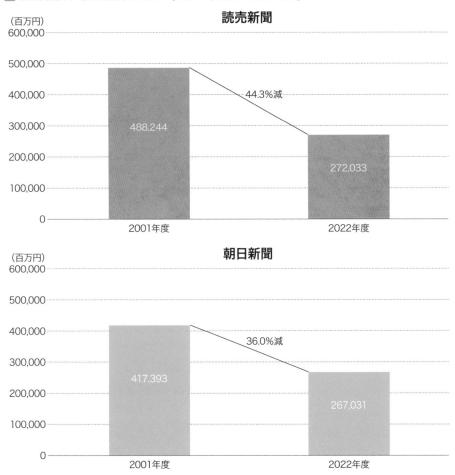

▶ 読売新聞と朝日新聞の売上（2001年度と2022年度）

読売新聞

（百万円）

488,244　44.3%減　272,033

2001年度　2022年度

朝日新聞

（百万円）

417,393　36.0%減　267,031

2001年度　2022年度

合、日経会社情報デジタルで直近5年間の主要財務指標を確認できます。読売新聞の場合、日経会社情報デジタルで経営情報は確認できません。

　それはともかく、読売新聞と朝日新聞は日本を代表する報道機関です。売上の急下降を見ると、この報道機関の経営基盤が揺らいでいると考えざるを得ません。経営が成立しないことには、報道したくても報道できません。これは新聞社のみならず放送局も同様です。

　これら従来型マスメディアが危機に陥れば、日本の報道の機能不全が現実味を増します。

DXに成功した
ニューヨークタイムズ

海外では、ニューヨークタイムズのように、DXで経営危機を脱した従来型マスメディアも存在します。ニューヨークタイムズの経営は日本の従来型マスメディアにとっても大いに教訓になるのではないでしょうか。

📍 合い言葉は「デジタルファースト」

　危機に瀕した新聞社がデジタル化によって息を吹き返した例があります。ニューヨークタイムズ（NYT）がその一例です。

　1851年を始まりとするNYTは20世紀にはアメリカを代表する新聞社になりました。しかし、21世紀に入ると急激な売上減少に苦しみます。2006年に32億8,900万ドルあった売上は、5年後の2011年までに15億5,400万ドルまで急下降しています。その後も低迷が続き、売上は15億ドル台で上下していました。

　危機感を持った同社では、2014年3月に「イノベーション[*]」というレポートを公表しました。その中で今後の方針として「デジタルファースト」を高らかに宣言します。同社のデジタルファーストとは、「紙の新聞の制約から開放された、可能な限り優れたデジタル記事を作り出すことが最優先課題であることを意味する」とした上で、「その最終ステップとして、最高品質のデジタル記事を、翌日の紙の新聞に再加工する[*]」というものです。

　これを境にして同社は新聞のDXに大きく舵を切ります。その効果は購読者数や購読収入に如実に表れました。2014年時点でデジタルのみのニュース購読者は100万契約でしたが5年後の2019年には390万契約、2022年には880万契約まで拡大しています。購読者からの売上も同様で、2014年のデジタルのみのニュース購読は1億7,200万ドルでした。これが8年後の2022年になると9億7,900万ドルと、紙の新聞関連の5億7,300万ドルを大きく上回っています。

　その間、紙の新聞の購読者及び売上は緩やかに減少しています。仮に同社が紙の新聞に頼った経営をしていたら、緩やかな死が待ち構えていたでしょう。

イノベーション
The New York Times
「Innovation」(March
24, 2014)。多様なサ
イトでPDFが配布さ
れている。

再加工する
The New York Times
「Innovation」(March
24, 2014) P.82

ニューヨークタイムズの売上推移

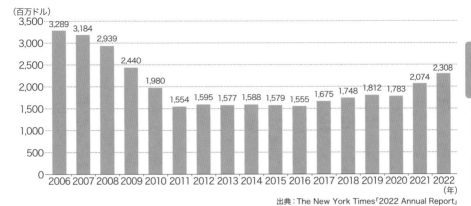

（百万ドル）

出典：The New York Times「2022 Annual Report」

ニューヨークタイムズの購読者推移

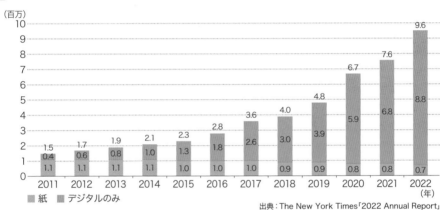

（百万）

■ 紙　■ デジタルのみ

出典：The New York Times「2022 Annual Report」

ニューヨークタイムズの購読収入

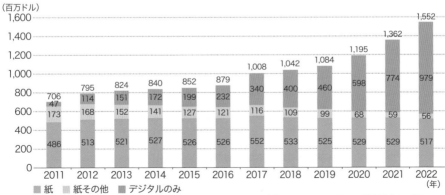

（百万ドル）

■ 紙　■ 紙その他　■ デジタルのみ

出典：The New York Times「2022 Annual Report」

Chapter7 04

戦略としてのデジタルファースト

従来型マスメディアから質の高いジャーナリズムが消えてしまえば、それは
マスメディアの死を意味します。いま求められているのは、デジタル技術を
背景に、マスに対して公正な立場で情報を伝える機関の存在です。

従来型マスメディアがとるべき道

　新聞社の経営悪化、テレビを見る若年層の減少と、従来型マスメディアはいま苦境に立たされています。しかし、日本のジャーナリズムを守ってきたのは、従来型マスメディアであることは疑いありません。従来型マスメディアから質の高いジャーナリズムが消えてしまえば、それはマスメディアの死を意味します。現在はその危機に瀕している時なのでしょう。では、どうすべきなのでしょうか。

　まずいえるのは、受信料収入を基礎にするNHKが早晩経営危機に陥ることはない、ということです。問題は民間の従来型マスメディア*です。今後は再編が必至ではないでしょうか。

　例えば、報道を前提に考えた場合、いま求められているのは、デジタル技術を背景に、マスに対して公正な立場で情報を伝える機関の存在です。単純化すると、デジタル情報技術を得意とするIT企業のテクノロジーの上に、新聞社の編集局のほぼ全部と広告局の一部、テレビ局の報道局ほぼ全部と広告局の一部が乗るイメージです。

　そもそもIT企業の取材能力はほぼゼロといってよいでしょう。これに対して、従来型マスメディアは取材能力こそ長けているものの、そのアウトプットを紙や電波に頼っているため停滞を招いています。このように考えると、NYTがとったように、デジタル情報技術を基礎にして、取材編集したコンテンツを、デジタルファーストで提供していくことが欠かせません。

これからの3つの方向性

　この考えを基本にすると、従来型マスメディアがとるべき方向

民間の従来型マスメディア
民間の従来型マスメディアが消滅すると、NHKの1社が報道を独占することになる。これは太平洋戦争前の日本を想起し、民主国家にとって極めて危険なことである。

▶ 従来型マスメディアの3つの方向性

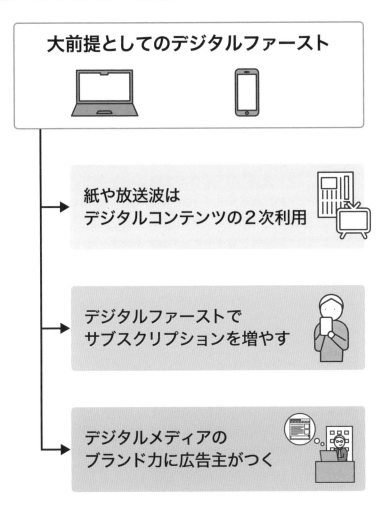

大前提としてのデジタルファースト

紙や放送波は
デジタルコンテンツの2次利用

デジタルファーストで
サブスクリプションを増やす

デジタルメディアの
ブランド力に広告主がつく

がおぼろげながらに見えてきます。箇条書きにすると次のように
なります。

❶ 紙や放送波で提供するコンテンツはデジタルコンテンツの2次
利用だと考える。

❷ デジタルファーストにこだわることでデジタルのサブスクリプ
ションを増やすフックにする。

❸ デジタルメディアのブランド力で広告主がつくようにする。
具体的にはどのようなことか、次節で解説したいと思います。

Chapter7 05

デジタルを経営基盤に据える

従来型マスメディアがデジタルファーストを宣言すると、紙や放送波向けのコンテンツはその2次利用になります。この考えをベースに、デジタルのサブスクリプションの促進やデジタルメディアの媒体価値向上につなげます。

デジタルファーストを厳守する

　情報提供の早さを考えると、ネットメディア、（ニュース番組などの）放送波メディア、新聞メディアという順になります。このように考えると、情報の鮮度をより高めるならばデジタルファーストで情報を提供するのが大原則です。

　そうすると、放送波や紙で提供するコンテンツはその2次利用になります。従来型マスメディアで長年働いてきた人には耐えがたいことだと思えますが、デジタルファーストの原則を守るなら、いたしかたないことです。

　この動きはすでに始まっています。日経電子版の場合、電子版で公開された記事が、2、3日後に紙の新聞に掲載されています。このようにデジタルファーストでは、電波や紙の媒体で提供するコンテンツは2次利用と割り切って、デジタルコンテンツをそれぞれの媒体向けに編集することが今後一般的になるはずです。

　この方向は、デジタルのサブスクリプションの促進につながります。というのも、従来の媒体よりデジタルのほうが質の高い情報を一足早く得られるからです。このような情報にお金を払う人は必ず存在します。無料で情報に接したい人は、遅れてくる情報、無用で質の低い広告が沢山ついた情報に接すればよいわけです。

講読者第一主義
Subscription-First Businessの訳。「The Report of 2020 Group」（January 2017）（https://www.nytimes.com/projects/2020-report/index.html）に掲載されている。

良き購読者がブランド価値を高める

　だからといって、広告は不必要だといっているのではありません。実はNYTではデジタルファーストとは別に「購読者第一主義[*]」を標榜しています。これは、広告に頼らない、クリック数を追わない、ページビューを追求しない、質の高いジャーナリズムを指します。

▶ 示唆に富むNYTの戦略

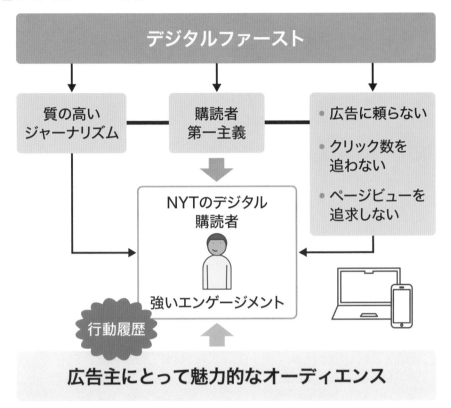

そして、読者はそのような姿勢のNYTにお金を払ってコンテンツを購読します。当然、このような読者が増えるほど、NYTは広告収入に頼らず、経営を長期的に安定させられます。

一方、このような読者は、非常に意識の高い人々といえるでしょう。それは広告主にとっても魅力的なオーディエンスであるはずです。しかもNYTは読者の行動履歴データを所有しています。

こうして、ターゲティングされた魅力的な読者への広告提供が可能になります。いい換えるならば、マスメディアのブランド力と良質な読者に広告主がつくイメージです。そこに広告を出稿することで、広告主のブランド価値も上がるという好循環です。

このようなマスメディアが今後早晩に求められると思います。これは夢物語でしょうか。夢で終わるのなら、それはマスメディアの死なのでしょうか。

COLUMN 7

知っておきたいマスメディア論⑦
フレーミング効果

**表現の枠組みによって
人の行動は変わる**

フレーミングとは表現の枠組み、言葉の使い方を指します。内容は同じでも、言葉の使い方を変えることで、人の反応は変わるものです。これを**フレーミング効果**と呼びます。

例えばあなたはいま手術が必要な病を患っていると想像してください。この手術について医者から「この手術の生存率は90％です」といわれました。リスクはあるにせよ生存率90％はかなり高い数字です。あなたは手術に同意するでしょう。

では、医者が「この手術の死亡率は10％です」といったらあなたはどう感じますか。あなたは手術について少なからず深刻に考えるのではないでしょうか。

このように行動に違いが出るのですが、「生存率90％」も「死亡率10％」も内容は同じでいい方、つまりフレーミングが異なるだけです。しかし内容が同じでもフレーミングによって人のとらえ方は大きく変わるのが、上記の例からわかると思い

ます。その意味でフレーミングは広告表現にとても重要です。

**相手の説得に
フレーミングを活用する**

交渉にもフレーミングは巧妙に利用されています。**ドア・イン・ザ・フェイス**という交渉術は、最初に誰もが拒否するハードルの高い提案をし、拒否されたらすかさず要求のハードルを下げて本来の提案をするものです。その背後には**「拒否される提案→本来の提案」**というフレーミングが隠されています。

提案される側からすると、新たな提案は、最初の提案よりも要求のハードルがかなり下がりました。提案する側がハードルを下げたということは、譲歩したということです。譲歩には譲歩で返すのが社会の暗黙のルールです。これを**返報性のルール**といいます。結果、提案された側は承諾する可能性が高まります。

このようにドア・イン・ザ・フェイスは、拒否されるフレーミングに返報性のルールを巧みに紛れ込ませた手法だといえます。

References 参考文献・参考資料

●参考文献

書名	著者／訳者	出版年	出版社
GAFA「強さの秘密」が1時間でわかる本	中野明	2019	学研プラス
2050年のジャーナリスト	下山進	2021	毎日新聞出版
2050年のメディア	下山進	2019	文藝春秋
明日を支配するもの	ピータ・ドラッカー著、上田惇生訳	1999	ダイヤモンド社
キャズム	ジェフリー・ムーア著、川又政治訳	2002	翔泳社
広告業界の動向とカラクリがよくわかる本［第5版］	蔵本賢、林孝憲、中野明	2021	秀和システム
図解de理解 行動経済学入門	ハワード・S・ダンフォード	2020	FLoW ePublication
コトラー＆ケラーのマーケティング・マネジメント［第12版］	フィリップ・コトラー、ケビン・ケラー著、月谷真紀訳	2008	丸善出版
コンテンツ業界の動向とカラクリがよくわかる本［第4版］	中野明	2021	秀和システム
情報メディア白書1999	電通総研	1998	電通総研
情報メディア白書2023	電通メディアイノベーションラボ編	2023	ダイヤモンド社
新聞社－破綻したビジネスモデル	河内孝	2007	新潮社
心理学キーワード	田島信元編	1989	有斐閣
図説 日本のメディア［新版］	藤竹暁、竹下俊郎	2018	NHK出版
ゼミナール日本のマス・メディア［第3版］	春原昭彦、武市英雄	2016	日本評論社
通信業界の動向とカラクリがよくわかる本［第5版］	中野明	2021	秀和システム
ニュースの未来	石戸諭	2021	光文社
必携インターネット広告	日本インタラクティブ広告協会編著	2019	インプレス
放送業界の動向とカラクリがよくわかる本［第5版］	中野明	2020	秀和システム
マス・コミュニケーションの世界	仲川秀樹	2019	ミネルヴァ書房

マスメディアとは何か	稲増一憲	2022	中央公論新社
広告ビジネスに関わる人の メディアガイド2020	博報堂DY メディアパートナーズ編	2020	宣伝会議
メディアの未来	ジャック・アタリ著、 林昌宏訳	2021	プレジデント社
令和5年版情報通信白書	総務省	2023	日経印刷

●参考資料

資料名	発行者	発行年
2020年 経済構造実態調査報告書 二次集計結果 【乙調査編】 広告業	総務省・経済産業省	2021
2020年 経済構造実態調査報告書 二次集計結果 【乙調査編】 新聞業、出版業	総務省・経済産業省	2021
2022 Annual Report	The New York Times	2023
2022年 日本の広告費 インターネット広告媒体費 詳細分析	CARTA COMMUNICATIONS 他	2023
2022年 日本の広告費（他各年版）	電通	2023
Innovation March 24, 2014	The New York Times	2014
Global Music Report 2023	IFPI	2023
radiko audio Ad (ver. 2022.04-06)	otonal	2022
radikoプレスリリース 2022年8月30日	radiko	2022
THE REPORT OF THE 2020 GROUP JANUARY 2017	The New York Times	2017
YEAR-END 2021 RIAA REVENUE STATISTICS	RIAA	2022
新聞オーディエンス調査	日本新聞協会	2023
デジタル広告の取引実態に関する中間報告書	公正取引委員会	2020
デジタル広告市場の競争評価 最終報告	デジタル市場競争会議	2021
日経電子版メディアレポート	日本経済新聞社	2022
日本のレコード産業2023	日本レコード協会	2023
日本放送協会令和4年度業務報告書	NHK	2023
メディア・ソフトの制作及び 流通の実態に関する調査研究《報告書》	総務省	2023
メディア定点調査2022	博報堂DYメディアパートナーズ	2022
読売新聞メディアデータ 2022-23	読売新聞社	2022
令和3年度情報通信メディアの利用時間と 情報行動に関する調査 報告書	総務省	2022
令和3年度民間放送事業者の収支状況	総務省	2022
その他各社決算短信・決算説明会資料		

記号・アルファベット・数字

1業種1クライアント ……………… 144
2次利用 …………………… 201, 202
3次元の仮想空間 ………………… 174
3大クライアント ………………… 130
ABC部数 …………………………… 114
ABEMA ……………………… 53, 140
ADKマーケティング・
ソリューションズ ………………… 134
AE制 ……………………………… 145
AI ………………………………… 176
ALL（P+C7）……………………… 50
Amazonプライムビデオ ……… 53, 170
AMラジオ放送 ………………… 26, 54
ANN ……………………………… 36
AWS ……………………………… 188
CARTA HOLDINGS ……………… 136
CATV ……………………………… 26
ChatGPT ………………………… 176
CM好感度1位 …………………… 130
CMプロダクション ……………… 148
DAC ……………………………… 138
D.A.コンソーシアム
ホールディングス ………………… 134
DSP ……………………………… 182
dマガジン ………………………… 118
eスポーツ ………………………… 156
Facebook ………………… 160, 169
FIFAサッカーワールドカップ
カタール2022 …………………… 140

FMラジオ放送 ………………… 26, 54
FNN ……………………………… 36
GAFAM …………………………… 162
Google …………………………… 158
Google Cloud Platform ………… 188
Google広告 ……………………… 180
Google ニュース …………… 88, 166
Google ニュースイニシアティブ‥ 88
Google ニュースショーケース …… 88
IBM iX …………………………… 142
Instagram ……………………… 169
IP放送 …………………………… 26
iTunes …………………………… 86
Japan Radio Network（JRN）…… 56
JNN ……………………………… 36
LINE ……………………………… 169
LINE NEWS ……………………… 166
LINEマンガ ……………………… 116
MC会社 …………………………… 148
Meta ……………………………… 160
National Radio Network（NRN）… 56
Netflix …………………………… 170
NHK ………………… 16, 28, 42
NHKプラス ……………………… 166
NNN ……………………………… 36
PR会社 …………………………… 149
radiko ………………………… 54, 58
RFID ……………………………… 120
Safari …………………………… 184
SmartNews ……………………… 166

Spotify …………………………… 86
SSP …………………………… 182, 189
SVOD …………………………… 170
Tver …………………………… 29, 51, 52
Twitter …………………………… 169
TXN …………………………… 36
U-NEXT …………………………… 170
Voicy …………………………… 86
VRヘッドセット …………………… 174
WPP …………………………… 142
Yahoo!ニュース …………… 152, 166
Zホールディングス …………… 164

あ行

アイレップ …………………………… 138
アヴァス通信社 ………………… 90
アウトストリーム広告 ………… 178
アクセンチュア・ソング ………… 142
朝日新聞社 …………………………… 80
朝日新聞ポッドキャスト ………… 86
新しい強力効果論 ………… 152, 192
アドセンス …………………… 158, 187

アメリカ・マーケティング協会
（AMA）…………………………… 124
新たなタイプのマスメディア …… 162
アラブの春 …………………………… 194
委託制度 …………………………… 96
一貫性バイアス …………………… 60
一般紙 …………………………… 70

一般職 …………………………… 44
一般的新聞 …………………………… 70
「イノベーション」 …………… 198
イベント会社 …………………… 148
印刷 …………………………… 64
印刷証明付部数 …………………… 114
印刷媒体 …………………………… 124
印刷メディア …………………… 14
インストリーム広告 …………… 178
インターネット …………………… 16
インターネット広告 …… 128, 180
インターネット広告市場 ……… 178
インターネット広告費 …… 125, 194
インターネット同時配信 ………… 29
インターネットの発明 …………… 94
インターパブリック・グループ … 142
インタラクティブ職 …………… 146
宇宙戦争 …………………………… 24
「宇宙戦争」事件 …………………… 24
売上トップ …………………………… 80
運用型広告 …………………… 178, 180
営業局 …………………………… 44
営業職 …………………………… 146
営業セクション …………………… 144
営業利益 …………………………… 40
営業利益率 …………………………… 40
衛星一般放送 …………………… 26, 30
衛星基幹放送 …………………… 26, 30
衛星放送 …………………………… 26
駅売店 …………………………… 96

エコーチェンバー ……………… 190
閲読者率 ……………………… 84
エリアフリー聴取 ……………… 58
相賀武夫 ……………………… 104
音羽グループ ………………… 96
オピニオンリーダー …………… 24
オムニコ・グループ …………… 142
折込チラシ …………………… 64
オリジナル系 ………………… 116
音楽配信メディア …………… 155
音響会社 ……………………… 148

か行

外資系広告会社 ……………… 126
カオスマップ ………………… 186
確証バイアス ……………… 60, 190
カスタマートランスフォーメーション
&テクノロジー（CT&T）………… 136
活版印刷の発明 ……………… 94
ガバナンス …………………… 191
紙 ……………………………… 14
キー局 ………………………… 36
キー局5社 ………………… 16, 30
基幹7社 ……………………… 196
聴く日経 ……………………… 86
記事 …………………………… 64
技術局 ………………………… 44
技術職 ………………………… 44
議題設定機能 ………………… 152
キツネとブドウ ………………… 60

逆第三者効果 ………………… 122
キャズム ……………………… 174
共同通信社 …………………… 90
業務協定 ……………………… 56
協力会社 ……………………… 148
強力効果論 ……………… 24, 152
キンドルアンリミテッド …… 98, 118
グーグル広告 ………………… 158
クッキー ……………………… 184
グノシー ……………………… 166
クラスメディア …………… 113, 154
クリエイティブ職 ……………… 146
クロスネット局 ………………… 38
経済紙 ………………………… 70
経常事業収入 ………………… 42
芸能プロダクション …………… 149
ゲートキーピング機能 …… 14, 152
ケーブルテレビ ………………… 26
ゲームソフト ………………… 156
ゲーム配信プラットフォーム … 156
県域免許制度 …………… 36, 38
検索サイト ……………… 20, 154
検索連動型広告 ……………… 178
限定効果論 ……… 24, 60, 152, 192
コア・コンピタンス …………… 74
行為者率 ……………………… 48
好奇心 ………………………… 22
広告 ……………………… 20, 30
広告営業業務 ………………… 188
広告会社 ……………………… 126

広告局 ……………………… 72
広告収入 …………………… 34, 66
広告制作会社 ……………… 148
広告主・広告会社 ………… 186
広告部 ……………………… 102
公称部数 …………………… 114
講談社 ……………………… 106
行動履歴データ …………… 203
購読者第一主義 …………… 202
高齢化 ……………………… 76
国際会計基準 (IFRS) ……… 142
個人視聴率 ………………… 50
個性 ………………………… 22
コトラー, フィリップ …… 132
コミック DAYS …………… 116
コミュニケーション ……… 12
コミュニケーションの2段の流れ
……………………………… 24
コミュニティ放送事業者 … 54
コンテンツ制作編集業務 … 188
コンビニエンスストア …… 96
コンプライアンス ………… 191

さ行

サードパーティークッキー …… 184
サイバーエージェント …… 134, 140
再販売価格維持制度 ……… 96
サイマル放送 ……………… 29
雑誌 ………………………… 14
サブスクリプション

……………………… 98, 155, 201, 202
サブスクリプション型
動画配信サービス ………… 170
サプライサイドプラットフォーム
…………………………… 182, 189
山陰中央新報 ……………… 84
産経新聞社 ………………… 80
三太郎 ……………………… 130
サンデーうぇぶり ………… 116
ジェイアール東日本企画 … 135
事業局 ……………………… 72
時事通信社 ………………… 90
私信 ………………………… 62
システム管理業務 ………… 188
視聴率 ……………………… 50
実名登録制度 ……………… 160
ジャーナリズム …………… 62
社会の分断 ………………… 190
ジャパンエフエムリーグ (JFL) … 56
集英社 ……………………… 104
集団圧力 …………………… 192
従来型マスメディア …… 16, 20, 168
取材 ………………………… 64
取材セクション …………… 72
受信料 ……………………… 30
受信料収入 ………………… 42
出版社 …………………… 14, 94
出版社系 …………………… 116
主読紙率 …………………… 84
準キー局 …………………… 38

準拠集団 ……………………… 24
準々キー局 …………………… 38
小学館 ……………………… 104
少年ジャンプ＋ …………… 116
情報・通信 ………………… 130
情報の正確性と信頼性 ……… 76
照明会社 …………………… 148
職種 …………………………… 72
書店 …………………………… 96
書物の発明 …………………… 94
人工知能 …………………… 176
人財 …………………………… 23
人材派遣会社 ……………… 148
新聞 …………………………… 14
新聞系広告会社 …………… 126
新聞社 ………………………… 14
新聞メディア ……………… 202
垂直統合型 …………… 64, 102
水平分業 …………………… 102
水平分業体制 ………………… 96
スタッフセクション ……… 144
ステーションブレイク（SB）…… 46
ステブレ ……………………… 46
ストリーミング音楽配信 ……… 172
スポーツ紙 …………………… 70
スポットCM ……………… 46, 50
スマートスピーカー ………… 54
成果報酬型広告 …………… 180
制作局 ………………… 44, 72
製作部 ……………………… 102

生成AI ……………………… 176
世帯視聴率 ………………… 50
セット版 ……………………… 70
セット割れ …………………… 70
セプテーニ・ホールディングス
………………………… 136
全国FM放送協議会（JFN）……… 56
全国紙 ……………………… 70
選択的接触 ………………… 60
宣伝部 ……………………… 102
専門・業界紙 …………… 70, 71
専門広告会社 ……………… 126
専門サイト ……………… 20, 154
総合系 ……………………… 116
総合広告会社 ……………… 126
装飾会社 …………………… 148
ソーシャルメディア（SNS）
……………… 20, 76, 154, 168
速報性 ……………………… 194

た行

ターゲティング広告 ……… 160, 184
第一者効果 ………………… 122
大広 ………………… 135, 138
第三者効果 ………………… 122
第三者配信 ………………… 184
タイムCM …………………… 46
タイムシフト視聴 …………… 50
タイムフリーサービス ……… 58
短波ラジオ放送 ………… 26, 54

地上デジタル放送IP再放送 ········ 26
地上波デジタル放送 ············· 28
地上放送 ····················· 26
地方紙（県紙）·············· 70, 84
中京局 ······················ 38
中日新聞 ····················· 84
中日新聞社 ··················· 70
チューリング, アラン ·········· 176
チューリングテスト ············· 176
調整後EBITDA ··············· 164
沈黙の螺旋理論 ··············· 192
通信社 ······················ 90
定額動画配信サービス ·········· 170
ディズニープラス ············· 170
ディスプレイ広告 ············· 178
ディマンドサイドプラットフォーム
··························· 182
データサイエンティスト ········· 146
敵対的メディア認知 ············· 92
デザイン会社 ················· 148
デジタル局 ··················· 72
デジタル情報 ················· 16
デジタル情報技術 ·············· 23
デジタルトランスフォーメーション
（DX）······················ 23
デジタルファースト ········ 198, 200
テック系プロダクション ········· 149
鉄道系広告会社 ··············· 126
テレビ ······················ 14
テレビ局 ····················· 14

テレビジョン放送 ············· 26
デロイト・デジタル ············· 142
電子コミック ············· 108, 116
電子書籍市場 ················· 108
電通 ···················· 90, 134
電通インターナショナル ········· 136
電通グループ ················· 142
電通国際情報サービス ·········· 136
電通ジャパンネットワーク ······· 136
電通デジタル ················· 136
電通プロモーション ············· 136
電通ライブ ··················· 136
電波 ························· 14
電波媒体 ····················· 124
ドア・イン・ザ・フェイス ········ 204
動画・音楽配信メディア ····· 20, 155
動画広告 ····················· 178
動画配信メディア ············· 155
東急エージェンシー ············· 135
トーハン ····················· 96
徳島新聞 ····················· 84
特殊法人日本放送協会 ············ 42
トピックス ··············· 152, 166
トムソン・ロイター ············· 90
ドラッカー, ピーター ··········· 94
取次店 ······················ 96
トリプルプレー ················ 30

な行

西日本新聞 ··················· 84

日テレ系リアルタイム配信 ……… 53
二の足 …………………………… 65
日本ABC協会 ………………… 114
日本海新聞 ……………………… 84
日本経済新聞社 ………………… 80
日本経済新聞電子版(日経電子版)‥ 82
日本出版販売(日販) …………… 96
日本テレビ放送網(日本テレビ)
…………………………… 28, 40
「日本の広告費」………… 18, 68, 128
日本放送協会 …………………… 28
ニュース協定 …………………… 56
ニューヨークタイムズ(NYT) …‥ 198
認知的不協和 ……………… 60, 190
ネット広告会社 ………………… 126
ネットタイム …………………… 46
ネットメディア ‥ 19, 20, 74, 76, 202
ネットワーク ……………… 30, 56
ネットワーク協定 ………… 36, 56
野間清治 ………………………… 106

博報堂DYホールディングス
…………………………… 134, 138
博報堂DYマトリックス ………… 138
博報堂DYメディアパートナーズ
……………………………… 138
博報堂テクノロジーズ ………… 138
箱売り …………………………… 46
販売局 …………………………… 72
販売収入 ………………………… 66
販売店 ……………………… 64, 72
販売部 ………………………… 102
ピーティー(PT) ……………… 46
皮下注射モデル ………………… 24
ビッグテック ………………… 158
ピッコマ ……………………… 116
ビット情報 ……………………… 16
人好き ………………………… 22
一ツ橋グループ ………………… 96
人との交流 ……………………… 22
ピュブリシス・グループ ……… 142
ファーストパーティークッキー ‥ 184
フィルターバブル ……………… 190
フェイクニュース ……………… 88
フェイスブック・ピクセル ……… 184
フォールス・コンセンサス ……… 122
福井新聞 ………………………… 84
復号化 …………………………… 12
複数本社制 ……………………… 72
符号化 …………………………… 12
フッガーツァイトゥンゲン ……… 62

は行

配送 …………………………… 64
媒体 ……………………… 12, 126
媒体社 ………………………… 186
媒体職 ………………………… 146
配達 …………………………… 64
ハウスエージェンシー ………… 126
博報堂 ………………………… 138
博報堂DYグループ …………… 138

プラットフォーマー ……………… 162

プラットフォーム ………………… 162

プラットフォーム事業者 ……… 186

フランス通信社 ……………………… 90

ブランドイメージ ………………… 112

ブランドセーフティー ………… 189

フレーミング ……………………… 204

フレーミング効果 ………………… 204

ブロードバンド化 ………………… 34

ブロック紙 ……………………… 70, 84

ブロックする機能 ……………… 184

プロモーション職 ……………… 146

プロモーションメディア ……… 132

プロモーションメディア広告

……………………………… 126, 128

編集 …………………………………… 64

編集局 ………………………………… 72

編集部 ……………………………… 102

編成局 ………………………………… 44

編成部 ………………………………… 72

返報性のルール ………………… 204

放送 …………………………………… 14

放送受信契約件数 ……………… 42

放送波メディア ………………… 202

放送法 ………………………………… 28

放送メディア ……………………… 14

報道機関 …………………………… 195

報道局 ………………………………… 44

ポータルサイト ………… 20, 76, 154

ポータルサイト・専門サイト … 154

補強効果 …………………………… 192

北海道新聞 ………………………… 84

ポッドキャスト ……………… 86, 166

ホテリングモデル ………………… 92

ま行

マーケティング ………………… 132

マーケティング会社 …………… 149

マーケティング職 ……………… 146

マーケティングの4P ………… 132

マーケティングミックス ……… 132

毎日新聞社 ………………………… 80

毎日新聞ニュース ……………… 86

マガポケ …………………………… 116

負け惜しみ ………………………… 60

マスコミ ……………………… 12, 13

マスゴミ …………………………… 194

マスコミュニケーション

………………… 12, 13, 124, 168

マスコミ四媒体

…………… 14, 20, 124, 128, 174

マスコミ四媒体広告費 …… 178, 194

マス媒体 ………………… 12, 13, 168

マスメディア ………… 12, 13, 168

マスメディア業界 ……………… 20

マスメディアの死 ……………… 200

マヌティウス, アルドゥス ……… 94

魔法の弾丸理論 ………………… 24

マンガワン ………………………… 116

万引き防止 ……………………… 120

光永星郎 ································· 91

見逃し配信 ····························· 53

魅力的なオーディエンス ········· 203

民間の従来型マスメディア ······· 200

民放連加盟ラジオ放送局 ········· 58

夢中になれるもの ···················· 22

無料ニュースアプリ ················ 166

メタバース ············· 20, 155, 174

メディア ····················· 12, 168

メディアセクション ················ 144

メディアレップ ············· 126, 186

文字の発明 ···························· 94

モデル派遣会社 ····················· 149

模倣ゲーム ·························· 176

や行

ヤフトピ ······················ 152, 166

山梨日日新聞 ························· 84

ヤンジャン！ ························· 116

夕刊紙 ································· 71

有線放送 ······························· 26

読売IS ······························ 135

読売広告社 ····················· 135, 138

読売新聞社 ························· 80

予約型広告 ····················· 178, 180

ら行

楽天マガジン ························· 118

ラジオ ································· 14

ラジオ局 ··························· 14

ラジオ単営 ··························· 54

ラジオ・テレビの兼営 ············· 54

ラジコプレミアム ···················· 58

リアルタイム視聴 ···················· 50

リアルタイムビッディング（RTB）
··································· 178, 182

両面性 ························· 17, 125

輪転機 ·································· 72

倫理観 ································· 191

『令和5年版情報通信白書』
··································· 170, 174

ローカル局 ····················· 36, 38

ローカルタイム ····················· 46

著者紹介

中野 明 (なかの あきら)

ノンフィクション作家

1985年、立命館大学文学部哲学科卒。同志社大学理工学部嘱託講師。情報通信、経済経営、歴史文化の分野で執筆する。情報メディア関連の著作としては、『IT全史──情報技術の250年を読む』(祥伝社)、『GAFA「強さの秘密」が1時間でわかる本』(学研プラス)、『ブロードバンド社会がやって来る』(PHP)、『通信業界の動向とカラクリがよくわかる本』(秀和システム)など多数。

■ 装丁　　　　　井上新八
■ 本文デザイン　株式会社エディポック
■ 本文イラスト　株式会社アスラン編集スタジオ
■ 担当　　　　　伊藤鮎
■ 編集／DTP　　株式会社アスラン編集スタジオ

図解即戦力
マスコミ業界の
しくみとビジネスが
これ1冊でしっかりわかる教科書

2023年10月31日　初版　第1刷発行

著　者　　　中野　明
発行者　　　片岡　巌
発行所　　　株式会社技術評論社
　　　　　　東京都新宿区市谷左内町21-13
　　　　　　電話　　03-3513-6150　販売促進部
　　　　　　　　　　03-3513-6160　書籍編集部
印刷／製本　株式会社加藤文明社

◆ お問い合わせについて

・ご質問は本書に記載されている内容に関するもののみに限定させていただきます。本書の内容と関係のないご質問には一切お答えできませんので、あらかじめご了承ください。

・電話でのご質問は一切受け付けておりませんので、FAXまたは書面にて下記問い合わせ先までお送りください。また、ご質問の際には書名と該当ページ、返信先を明記してくださいますようお願いいたします。

・お送りいただいたご質問には、できる限り迅速にお答えできるよう努力いたしておりますが、お答えするまでに時間がかかる場合がございます。また、回答の期日をご指定いただいた場合でも、ご希望にお応えできるとは限りませんので、あらかじめご了承ください。

・ご質問の際に記載された個人情報は、ご質問への回答以外の目的には使用しません。また、回答後は速やかに破棄いたします。

◆ お問い合せ先

〒162-0846
東京都新宿区市谷左内町21-13
株式会社技術評論社　書籍編集部
「図解即戦力
マスコミ業界の
しくみとビジネスが
これ1冊でしっかりわかる教科書」係
FAX：03-3513-6167

技術評論社ホームページ
https://book.gihyo.jp/116